Head And Neck Ultrasound

두경부 초음파

갑상선-타액선-경부 초음파 및 중재시술

Author

편집위원

우승훈	편집위원장(단국대)	김정규	위원(대구가톨릭대)
박재홍	간사(순천향대)	은영규	위원(경희대)
이동근	편집간사(동아대)	이영찬	위원(경희대)
손진호	자문위원(경북대)	조우진	위원(위드심의원)
		최익준	위원(원자력병원)

집필진 (가나다순)

강희진	경희대	은영규	경희대
김원식	제일이비인후과	이동근	동아대
김정규	대구가톨릭대	이영찬	경희대
김지원	인하대	이형신	고신대
박기남	순천향대	장재원	충남대
박재홍	순천향대	정수연	이화여대
손진호	경북대	조우진	위드심의원
손희영	동남권원자력의학원	천병준	땡큐서울이비인후과
안동빈	경북대	최익준	원자력병원
양연준	단국대	하정훈	땡큐서울이비인후과
우승훈	단국대		

삽화 제작

김용범	모인이비인후과

축사

대한두경부외과학회의 두경부 초음파 교과서 출간을 진심으로 축하드립니다.

이 자리를 빌어 훌륭한 기획과 지원을 해주신 권순영 회장님과 알차고 좋은 내용으로 책을 완성해 주신 우승훈 초음파위원회 위원장님께 감사와 축하의 말씀을 드립니다.

두경부외과 분야의 진단에 있어 이제 초음파는 매우 필수적이고 외과의라도 반드시 알아야 할 분야입니다.

그러기에 근래에는 학회의 전공의 교육과정에도 초음파에 대한 교육이 추가되었습니다. 본 서적의 출간은 두경부외과 질환의 보다 더 정확한 진료와 나은 치료를 위한 의미있는 디딤돌이 될 것이라 확신하며, 전임의뿐 이니라 전공의 분들에게도 매우 유익한 참고서가 될 것입니다.

앞으로 더 많은 두경부 초음파 분야의 연구가 이루어져 증보와 신판이 계속 이어지길 희망합니다.

고맙습니다.

대한이비인후과학회 이사장

김 세 헌

격려사

초음파의 사용이 의료영역에서 보편화되고 있는 현상은 상당히 오래된 일이라고 생각된다. 태아의 상태를 모니터링하는 산부인과 영역은 물론이고 간장을 중심으로 하는 상복부 초음파 뿐만이 아니라 거의 모든 영역을 망라하여서 초음파는 의사들의 진료에 많은 도움을 주고 있다. 오히려 조금 늦은 감은 있지만 두경부영역에서도 초음파의 사용이 점차 넓어지고 있고 특히 이제 시작하는 젊은 두경부외과의들뿐만 아니라 이비인후과를 전공하는 전공의들에게도 필수적으로 익혀야 하는 술기로 인식되고 있다.

대한두경부외과학회는 이러한 추세에 발맞춰 두경부영역에서의 초음파에 관한 기준을 제시하고 두경부영역에 특화된 진단 및 술기를 익히는데 도움을 주기 위한 책을 만들게 되었다. 이 책에는 초음파의 기본적인 특성 및 용어, 실제로 초음파를 시행하기 위한 준비, 그리고 두경부 영역의 질환들인 경부림프절, 갑상선 및 부갑상선, 이하선과 악하선 등의 타액선에서 발생하는 병변의 진단 및 초음파를 이용한 시술들에 대한 내용들이 알기 쉽게 기술되었다. 이 책은 2년에 걸친 학회의 노력으로 완성되었으며 이 책을 완성하는데 중심적인 역학을 한 수련이사 안순현(서울대), 초음파 부분 수련부이사 우승훈(단국대)을 비롯한 편집위원회의 여러 위원들에 깊은 감사의 말씀을 전한다.

두경부에서 발생하는 여러가지 병변을 최종적으로 진단하고 치료하는 두경부외과의의 입장에서 초음파 진단 및 시술에 경험이 많은 회원들의 경험이 반영이 되어서 두경부영역 질환들의 초음파 진단 및 시술에 실질적인 도움이 될 것으로 생각되며 이 책이 여러 두경부외과의들뿐만 아니라 두경부분야에 관심이 있는 이비인후과전공의들을 포함한 모든 의사들에게 두경부영역의 초음파 진단 및 술기의 기본적인 길라잡이가 될 것을 기대해본다.

2023년 2월
제15대 대한두경부외과학회 회장
권 순 영

서문

두경부 영역의 초음파 활용이 점차로 늘어나고 필수적인 혹은 일상적인 진료 과정의 하나로 자리잡고 있습니다. 그러던 와중에 두경부 의사들의 관점에서 바라본 두경부 초음파 자료가 부족하다는 인식에 본 책을 준비하게 되었습니다. 본 책은 다양한 두경부 외과 전문가들이 참여하여 경험을 집대성하였으며 글로 길게 기술하는 형식이 아니라 사진과 그림을 통해 직관적으로 내용을 알 수 있게 하는 방식을 선택하였습니다. 그리고 동영상을 활용할 수 있는 QR 코드도 도입하였습니다. 본 책이 두경부 영역의 초음파에 관한 모든 것을 담진 못했지만 두경부 초음파를 시작해 보려는 이비인후과 의사들에게 좋은 지침서는 될 수 있을 것으로 보입니다.

본 책의 제작에 본인의 모든 것을 쏟아 부은 박재홍(순천향대) 교수님께 특별한 감사의 마음을 전하고 더불어 오랜 세월 체득한 수술적인 두경부 외과 지식과 이를 초음파와 연계하여 본 책에 담아낸 20분의 참여 집필진에게 진심으로 감사와 존경을 표합니다. 이제 저희만의 두경부 초음파 책자를 만들 정도의 실력과 분위기가 성숙된 만큼 향후 모든 두경부 영역의 초음파는 우리 두경부외과 의사들이 하는게 향후 우리가 해야 할 일이 아닌가 합니다.

본 책의 제작에 도움을 주신 김세헌 이비인후과 이사장님, 권순영 두경부외과 회장님께 감사드리고 이 프로젝트를 처음 발제해주신 홍현준 총무이사님께 애정의 마음을 전합니다.

이제 초판이니 수정이 많이 필요하고 더 좋은 사진과 노하우가 필요합니다. 향후 개정판에 더 많은 전문가들을 모시고 더 좋은 자료를 담아보겠습니다. 많은 관심과 지원 부탁드립니다.

대한두경부외과학회
초음파위원회 위원장
우 승 훈

목차

SECTION **1**

초음파의 기초
Basic Ultrasound Principles

박재홍, 이동근 (그림 김용범)

1. 서론

음향 및 소리의 파동에 대한 인류의 이해는 고대 그리스-로마 기록에 처음 등장하며 20세기에 이르러 수중 음향탐지기술의 발전과 더불어 비약적으로 발전하게 된다. 1940년대 이후 의료용 초음파가 실제 임상에 적용되기 시작하며 초음파 기술의 발전이 가속화되었고, 1970년대에 이르러 컴퓨터와 영상 기술의 발전과 더불어 다양한 의료분야에 적용되기 시작하였다.

음파는 음원으로부터 발생하는 일정한 주파수를 가지는 파동 형태의 소리 에너지로 사람이 정상적으로 들을 수 있는 가청범위는 20-20,000 Hz이다. 초음파(ultrasound)는 이러한 가청주파수 범위보다 높은 주파수를 가지는 음파를 의미하며 이러한 초음파의 펄스 파(pulse wave)를 영상으로 나타내는 것을 sonography 또는 sonogram이라 부른다. 돌고래, 고래 및 박쥐는 사물에서 반사(reflection)되어 오는 음향의 파동 즉, 음파를 sonography와 같이 시각화 영상(visual image)으로 인지할 수 있다고 한다. 2000년대 들어 초음파는 3차원 초음파를 사용할 수 있을 만큼 발전하였고 장비의 크기도 이전에 비해 현저히 소형화되어 휴대용 초음파까지 판매되고 있기에 가까운 미래에는 청진기와 같이 필수적인 휴대용 의료기로 자리잡을 것으로 예상된다.[1]

이 장에서는 초심자들의 실제 초음파 운용을 위한 기초적인 용어와 영상 해석과 관련한 간단한 원리를 다루어 초음파를 활용한 검사와 그 해석에 도움을 주고자 한다.

2. 원리

음파는 음원에 해당되는 탐촉자 내에 일정한 형태로 배열된 압전결정(piezoelectric crystal)에 전압이 가해지면 압전결정이 팽창과 수축을 하게 되어 진동이 만들어지고 이 진동에 의한 음향의 파동인 음파가 만들어진다. 이 압전결정의 배열형태(array probe)는 선상배열(linear array probe), 볼록배열(curvilinear or convex array probe), 위상차배열(phased array probe)로 나누어지며 선상배열은 주로 유방, 갑상선과 같은 표재성 기관에 적용되고 볼록배열은 복부와 같이 넓은 영역의 진단에 이용되며, 위상차 배열은 심장검사와 같이 좁은 간격을 통해 넓은 부위를 진단하고자 할 때 사용된다. 초음파 장비는 음파를 발생하는 탐촉자, 음파를 전기신호로 변환하는 변환기, 초음파 음속형성(beam forming) 부분, 반사된 음파를 증폭하는 앰프, 이미지를 디지털 신호로 처리하는 디지털 주사변환기(digital scan converter, DSC) 부분으로 구성된다.[2-4]

3. 영상 표시 방법

1) 진폭모드(Amplitude Mode, A-mode)

반사음의 강도를 진폭으로 표시하는 방법으로 적절한 화상을 얻기 위해서는 탐촉자의 방향이 정확해야 하므로 탐촉자의 방향이 잘못되면 화상도 변할 수 있는 단점이 있다. 가장 기초적인 형태이나 현재는 거의 사용하지 않는다.

2) 명암 모드(Brightness Mode, B-mode)

반사음을 다양한 밝기의 점(dot)으로 표시하는 방법으로 반사 신호의 진폭에 비례하여 점의 밝기를 다르게 표현하며 현재 대부분 초음파 진단 장비에서 사용하는 방법이다.[5]

3) 움직임 모드(Motion Mode, M-mode)

움직임 모드는 진폭모드의 변화된 형태로 일정한 위치에서 시간에 따른 반사체의 운동상태를 나타내는 방법이다. 가로로는 시간축, 수직으로는 반사체의 위치가 표시되며 움직이는 반사체의 거리를 시간적 변화로 표시하는 방법이다. 주로 심장 판막 검사에 이용되며, 태아의 심음도 기록할 수 있지만 현재는 도플러 모드로 대체되고 있다.[6]

4. 기본 용어(Basic Terminology)와 조작(Basic Operation)

1) 초음파 물리학

주파수(frequency, f)는 단위 초당 파장의 수로 파장(wavelength, λ)에 반비례하며 특정 조직에서의 속도(c)에 비례하고($λ = c/f$) 헤르츠(Hz)로 표시된다. 의료용 초음파에 사용되는 주파수는 대부분 2-20 메가헤르츠(MHz)이다. 주파수가 높아지면 파장은 짧아져 작은 반사체에도 고해상도 영상을 생성할 수는 있지만 투과도는 낮아서 표재성 병변을 관찰하기 좋은 반면, 낮은 주파수는 파장이 길어져 투과도가 높아짐에 따라 깊은 병변을 관찰하기 유리하지만 해상도가 상대적으로 낮은 영상을 생성한다. 출력(power)은 일정 시간 내에 조직에 입사하는 총 에너지이고 강도(intensity)는 음파의 세기를 나타내며 강도가 높을수록 조직에서 많은 열이 발생하여 치료목적의 초음파시술에서는 중요하게 고려해야 한다.[6-8]

2) 감도(Gain), 증폭

생체에서 반사된 초음파는 변환기에서 전기신호로 변환된 후 디지털 주사변환기에 의해 영상으로 변환된다. 이때 모니터에 맺히는 화상이 충분하도록 전기신호를 올려주는 것이 감도 (gain)이며 전기신호가 부족하면 화상이 어둡게 나타나므로 감도를 올려서 화상이 밝고 충분하게 나타나도록 해주며 반대로 화상이 너무 밝아서 하얗게 표현되면 감도를 줄여서 화상이 적절한 밝기로 표현되도록 해주면 된다. 감도가 너무 높아지게 되면 반사체에서 돌아오는 초음파 외에도 산란되어 오는 반향도 같이 증가되기 때문에 병소의 선명도가 떨어지게 되고, 반대로 감도가 너무 낮으면 산란된 반향은 감소시킬 수 있지만 실제 필요한 음파도 감소되게 되어 반사체에 대한 적절한 정보를 얻기 힘들다. 감도 조절에 있어서 중요한 점은 초음파가 깊은 부위로 갈수록 약화되기 때문에 깊이에 따른 점진적인 감도 보상이 필요하다. 깊이에 따라 감도를 보상하는 장치를 시간 감도 보상(time gain compensation, TGC)이라 한다.[8,9]

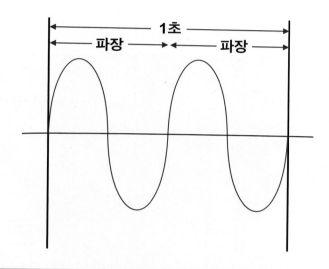

그림 1-1. 주파수와 파장. 주파수는 파장에 반비례하고, 속도에 비례하며 헤르츠(Hz)로 표시된다.

3) 도플러 모드(Doppler)

도플러 모드는 고정된 관측자 쪽으로 음원이 이동하면 주파수가 증가하고 멀어지면 주파수가 감소하는 도플러 효과에 근거한 이미징(imaging)방법으로 관측자는 탐촉자가 되겠고 반사체는 적혈구가 되어 음원을 발생하는 탐촉자 쪽으로 혈류가 가까워질 때 탐촉자에서 송신된 주파수가 혈류내 적혈구에서 반사되어 탐촉자에 수신주파수로 돌아오게 되는데, 혈구의 이동 속도와 방향에 따라 수신 주파수가 본래의 송신주파수와 달라지게 된다. 이때 송신 주파수와 수신 주파수의 차이를 도플러 변위 주파수(doppler shift frequency)라고 하며 송신 주파수가 높거나 혈류가 빠르고 도플러 각이 작을수록 도플러 변위가 커진다. 일반적으로 혈류의 속도는 10-100 m/s이며, 7 MHz 탐촉자를 사용하여 40도 입사각으로 검사 시 도플러 변위는 500-4,500 MHz이다. 보통 경부초음파에서 주로 사용하는 도플러 모드에는 color flow doppler와 power doppler법이 있다. Color flow doppler법은 방향성과 속도에 따라 영상의 색을 달리 처리하여 표현하는 방법으로 속도가 빠를수록 밝게 표시하며 느릴수록 어둡게 표시한다. 보통 반사체에 해당하는 혈류가 탐촉자 방향을 향하게 되면 빨간색으로, 멀어지면 파란색으로 표현한다. Power doppler법은 방향성과 속도에 관계없이 도플러 신호의 강도를 민감하게 표시할 수있는 방법으로 방향성과 속도에 대한 정보는 얻기 힘든 단점이 있지만 적고 느린 혈류도 표시할 수 있는 장점이 있다.

도플러 모드를 사용 시에 불필요한 신호와 허상이 많이 나타나면 감도(gain)를 낮춰서 이를 감소시킬 수 있다.[10,11]

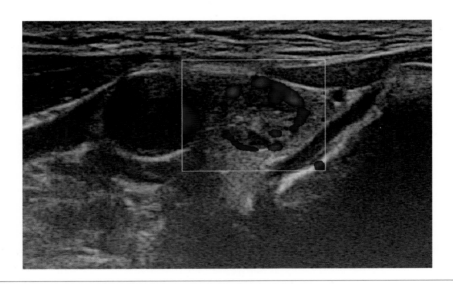

그림 1-2. 도플러 모드 영상. 갑상선 결절의 도플러 모드 영상.

4) 동적구역 또는 강약범위 조절(Dynamic Range Control)

동적구역 또는 강약범위란 반사된 초음파의 범위를 나타내는 것으로 데시벨(dB)로 표시하며 반사된 초음파의 차이를 어느 정도로 세밀하게 표현할 지를 조절하는 장치로 이해하면 된다. 동적구역 또는 강약범위가 넓어지면 세밀하게 표현되어 영상은 부드러워지지만 대조도(contrast)는 저하되며 허상이 증가할 수 있는 반면, 좁아지면 화면은 다소 거칠어지지만 대조

도가 증가하여 경계를 확인함에 있어 도움이 될 수 있다.[12,13]

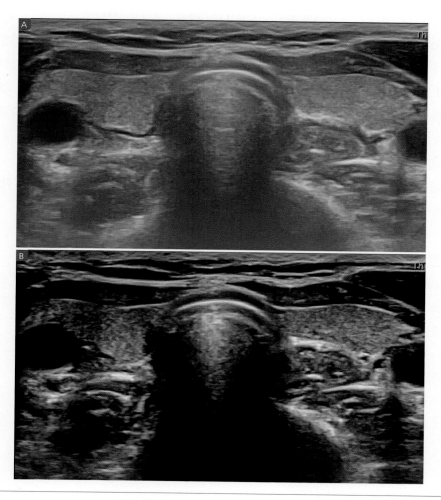

그림 1-3. 동적구역 또는 강약범위 조절(dynamic range control). 강약범위가 넓어지면 영상은 부드러워지지만 대조도는 저하되고(A), 강약범위가 좁아지면 거칠지만 대조도가 증가한다(B).

5) 심도(Depth)

　신체를 관찰하는 깊이를 조절하는 것을 심도 조절이라 하며 화면에 표시된 심도를 조절하며 관찰하고자 하는 깊이 범위를 설정할 수 있다. 관찰하고자 하는 부위를 특정하고 범위를 정한 후 깊은 부위를 먼저 검사하고 피검체의 중요 부위에 초점을 맞추기 위한 깊이를 설정하도록 한다. 불필요하게 깊은 심도를 설정하지 않는 게 중요하며 심도가 필요 이상으로 깊어지면 반사된 초음파가 돌아오는 시간이 늘어나게 되고 영상의 질이 그만큼 감소할 수 있다. 일반적인 깊이는 관찰하고자 하는 영역의 상부 2/3가 전체화면의 75% 정도를 차지하게 조절한다.

6) 확대(Zoom)

　확대 버튼은 해상도와 관련없이 영상만 더 크게 보이게 하는 장치이며 화면을 적절한 깊이로 조절한 후에 깊은 부위의 특정 범위를 더 크게 보길 원할 때 사용하는 것을 추천한다.

7) 초점(Focus)

　초음파의 해상도가 가장 좋은 곳은 초음파 빔의 폭이 가장 좁은 부분인데 이를 초점 구역이라 부르고 대부분 화면에서 초점이 맞춰진 영역 외측에 표시되어 관측하고자 하는 영역에 맞춰 조절할 수 있다.

8) 측정(Measurements)

　정지(freeze)버튼을 눌러 화면을 정지시킨 후 정지 전 영상들을 정지화면 형태로 검색할 수 있으며 측정하고자 하는 대상의 가장 선명한 경계가 확보된 영상을 고른 후 검사자가 원하는 방향의 피검체의 두 점을 정한 후 그 거리를 계측(calculation)한다.

5. 허상(Artifact)

　초음파의 허상이란 실제 내부의 경계면과는 다른 비정상적인 해부학적 구조로 관찰되거나 정상 구조물이 왜곡 또는 소실되어 보이는 현상으로 허상은 초음파와 각 조직 간의 음향반사의 특성에 따라 발생하기도 하지만 술자의 조절장치 조정의 미숙으로도 발생할 수 있다. 이러한 허상의 종류와 발생 원인에 대해 아는 것은 정확한 초음파 영상의 판독에 필수적이라 할 수 있다.

1) 반향허상(Reverberation Artifact)

반향허상은 음향 저항 차이가 큰 경계 면에 진폭이 큰 음이 반사되어 수신될 경우 반사된 음향이 에너지가 감쇠될 때까지 반사체와 탐촉자 사이에서 반복적으로 수신되는 현상이다. 반향허상은 초음파 빔에는 직각, 피부 표면에는 평행한 경계면이 둘 이상 있을 때, 일정한 거리 간격을 갖는 밝은 평행선으로 보이며 가장 전방의 상을 제외한 나머지 평행선은 허상이다. 이런 반향허상은 감쇠에 의해 펄스가 점점 약해지면서 유성의 꼬리처럼 희미해지기도 한다. 반향허상은 탐촉자에서 반사계면이 가까울수록, 반사 음향이 클수록, 감도가 높을수록 잘 발생한다.[3,8]

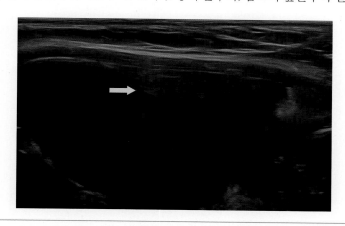

그림 1-4. 갑상선 낭종에서 관찰되는 반향허상(화살표)

2) 여운허상(Ring-down Artifact)

음파가 미세한 낭성 구조의 반사체나 결정과 같이 공명을 유발하는 구조의 조직에 닿았을 때 탐촉자를 향해 반사되는 공명 음파가 촘촘한 음향으로 표시되는데 이를 여운허상이라 한다. 유성의 꼬리와 흡사하여 Comet-tail artifact라고도 하며 콜로이드 성분의 낭종에서 주로 관찰된다.[8,14]

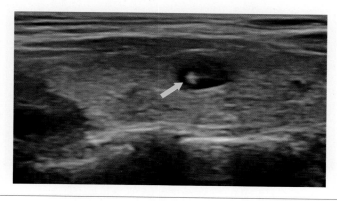

그림 1-5. 갑상선 낭종에서 관찰되는 여운허상

3) 측엽허상(Side Lobe Artifact)

　　탐촉자의 직각방향으로 집속하여 내보내는 초음파 빔을 주엽(main lobe)이라고 하며 집속되지 않은 몇 개의 음속이 남아 주엽과는 다른 옆 방향으로 진행하게 되는데 이를 측엽(side lobe)이라고 한다. 측엽은 다시 정반사 허상과 미만성 허상으로 나뉘는데 정반사 허상은 횡격막과 같은 구조물의 강한 반향에 의해 발생하며 두경부 영역에서 흔히 관찰할 수 있는 허상이 아니나 미만성 허상은 액체로 가득 한 낭성구조물에서 반사면 내부에 뿌옇고 약한 에코들로 나타나기에 두경부에 발생하는 다양한 낭종에서도 관찰할 수 있다. 측엽허상은 대개 약한 강도(20 dB 이하)이기에 탐촉자의 위치나 초점을 변경하거나 감도를 줄이면 실상과 구분이 가능하다.[8,14]

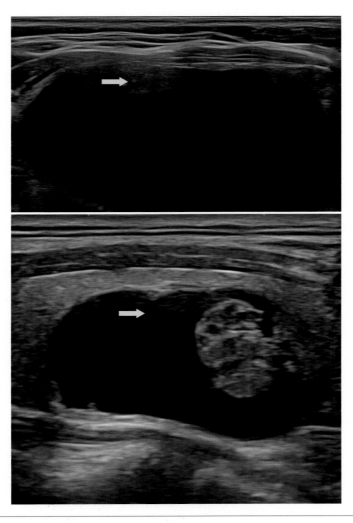

그림 1-6. 갑상선 낭종에서 관찰되는 측엽허상(화살표)

4) 굴절(Refraction)

음속 차이가 큰 두 매질 사이를 음파가 통과할 때 그 경계면에서 굴절이 발생하는데 낭종과 같은 반사체의 곡선을 이루는 경계에서 무에코의 음영으로 표현되며 '가장자리 음영(edge shadow)'이라고 부른다.[8]

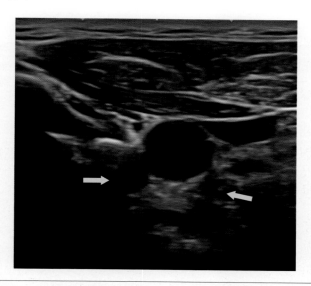

그림 1-7. 굴절. 세로 영상에서 변연부의 음영이 반사에 의해 경동맥 뒷편에서 관찰된다(화살표).

5) 후방음영(Posterior shadow)

음속의 감쇠가 심한 매질을 통과하는 음파는 투과되는 음파의 양이 현저히 적어져 반사체 후방은 주위에 비해 낮은 에코를 보이게 되어 마치 그림자와 같은 음영이 발생한다. 석회화된 병변의 후면에 생기는 그림자 허상이 이에 해당된다.[8,16]

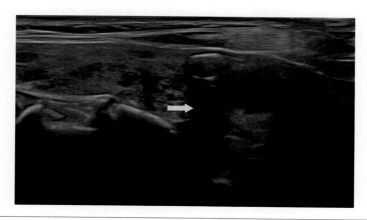

그림 1-8. 후방음영. 석회화가 동반된 갑상선 결절 후방으로 저음영의 후방음영이 관찰된다(화살표).

6) 음향증가(Acoustic Enhancement)

액체로 채워진 낭성 구조물에서는 음파의 감쇠가 거의 일어나지 않아 주위 조직에 비해 낭성구조물 후방의 조직은 덜 감쇠된 음파를 수신하여 반사하게 되므로 주위 조직보다 상대적으로 높은 에코로 표현되며 이를 음향증가라고 한다.[8,17]

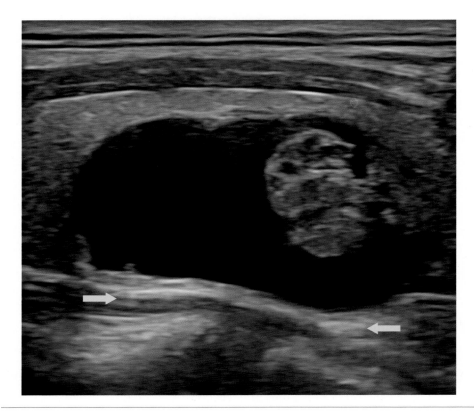

그림 1-9. 음향증가. 갑상선 낭종 후방에 고음영의 음향증가가 관찰된다(화살표).

6. 기본적인 준비

1) 검사실

일반적으로 검사실은 조명이 조절될 수 있도록 하며 검사 시 초음파에서 발열이 발생하므로 적절한 실내 온도조절이 필수이며 경우에 따라 환기가 필요하므로 가능하면 환기 시설도 갖추는 게 좋겠으며 탐촉자 및 기타 기구의 세척을 위해 별도의 세면시설이 필요하다. 세침흡인시술이나 침생검과 같은 침습적인 시술에 앞서 환부 소독이나 리도케인 마취주사와 같은 기구들 및 환자에 몸에 묻은 오염물질, 혈액, 젤을 닦아 낼 수 있는 수건을 보관할 수 있는 별도의 장소가 있다면 시술 시 불필요한 인력의 이동을 막아 효율적으로 시술을 준비할 수 있다.

2) 검사자

일반적인 경부초음파의 검사자 위치는 피검자의 우측이며 앉은 자세에서 검사를 시행하며 검사전 탐촉자의 연결선이 당겨지지 않도록 탐촉자를 여러 방향으로 이동하기에 제한이 없도록 충분히 연결선 길이를 확보하여 목이나 장치에 두르고 검사를 시행한다. 탐촉자와 연결선의 접속부위가 당겨지면 잦은 고장의 원인이 되기도 한다. 세침흡인검사 또는 침생검 시에는 비닐 보호복과 같은 적절한 보호장비를 갖추고 시행하도록 한다.

3) 환자

일반적인 두경부 초음파 검사 시 환자의 적절한 자세는 침대에 등받이용 베개를 위치하여 목을 신전(extension)시킨 앙와위(supine position)이며 경우에 따라 불필요한 신체접촉을 막기 위한 가벼운 쿠션을 가슴에 덮기도 한다. 환자용 침대는 검사자 또는 필요시 조력자가 양측에 위치할 수 있도록 벽에서 떨어져 위치시키는 것을 추천하며 검사자용 의자는 이동과 높이조절이 가능한 의자가 검사 및 시술에 보다 용이하다.

4) 탐촉자의 방향(Transducer Position)과 영상평면(Imaging Plane)

두경부초음파에서 사용하는 선상배열 탐촉자(linear array probe)의 방향표기는 환자의 방향과 관계없이 항상 일측으로 일정하게 위치하며 일반적인 두경부 초음파 검사 시에는 방향표지가 시술자가 위치한 좌측을 향하도록 하며 펜을 잡듯이 부드럽게 쥐어 사용한다. 해부학적 평면과 같이 영상학적 평면 역시 사상면(sagittal), 횡단면(transverse), 관상면(coronal)으로 나뉘며 경우에 따라 위 3가지 영상 외에도 사선(oblique) 영상을 이용하여 검사하기도 한다. 두경부 초음파 검사 시에는 주로 사상면(sagittal), 횡단면(transverse)을 이용한다. 바늘을 이용한 검사 시 바늘의 방향성 또한 바늘이 탐촉자의 장축방향으로 삽입되는 장축방향(longitudinal, in plane)과 바늘이 탐촉자의 장축과 직각으로 삽입되는 단축방향(transverse, out of plane)으로 나뉜다.[9-11]

5) 부가적인 준비

(1) 탐촉자 덮개와 세척

탐촉자의 오염을 방지하기 위한 목적과 감염원으로부터 환자를 보호하기 위한 목적으로 사용하며 수술용 폴리머방수필름이나 소독 장갑을 탐촉자에 둘러서 사용하기도 한다. 탐촉자와 연결선은 기본적으로 검사 전후 물과 비누 또는 전용 세척제를 사용하여 세척하며 보다 철저한 수준의 소독이 필요한 경우는 전용 소독제에 담궈두는 형태로 소독하여야 안전하다.

(2) 젤

젤은 가장 흔히 사용되는 매개체로 음파를 공기 중에서보다 더 잘 전도시키기 위해 탐촉자의 표면과 피검체 사이에 위치시키며 검사전 탐촉자에 바르거나 환자에게 직접 바르기도 한다. 침습적인 시술에 사용되는 무균젤도 있으니 무균 시술을 요하는 경우 사용하면 된다.

참고문헌

1. Newman PG, Rozycki GS. The history of ultrasound. Surg Clin North Am 1998;78:179-95.
2. O'Brien Jr WD. Ultrasound-biophysics mechanisms. Prog Biophys Mol Biol 2007;93:212-55.
3. Shin SJ, Jeong BJ. Principle and comprehension of ultrasound imaging. J Korean Orthop Assoc 2013;48:325-33.
4. Wells PN. Ultrasound imaging. Phys Med Biol 2006;51:R83-98.
5. Hangiandreou NJ. AAPM/RSNA physics tutorial for residents. Topics in US: B-mode US: basic concepts and new technology. Radiographics 2003;23:1019-33.
6. Bushberg JT, Seibert JA, Leidholdt EM, et al. The essential physics of medical imaging. 2nd ed. Williams & Wilkins; 2002. pp. 469-553.
7. Wild JJ. The use of ultrasonic pulses for the measurement of biologic tissues and the detection of tissue density changes. Surgery 1950;27:183-8.
8. Kim JY, Ahn KJ. Basic physics and artifact of ultrasound. J Clinical Otolaryngol 2007;18:135-43.
9. Lawrence JP. Physics and instrumentation of ultrasound. Crit Care Med 2007;35(8 Suppl): S314-22.
10. Kossoff G. Basic physics and imaging characteristics of ultrasound. World J Surg 2000;24:134-42.
11. Powis R, Schwartz R. Practical Doppler ultrasound for the clinician. Williams & Wilkins; 1991.
12. Hamper UM, DeJong MR, Caskey CI, et al. Power Doppler imaging: clinical experience and correlation with color Doppler US and other imaging modalities. Radiographics 1997;17:499-513.
13. Scanlan KA. Sonographic artifacts and their origins. Am J Roentgenol 1991;156:1267-72.

14. Avruch L, Cooperberg PL. The ring-down artifact. J Ultrasound Med 1985;4:21-8.
15. Laing FC, Kurtz AB. The importance of ultrasonic side-lobe artifact. Radiology 1982;145:763-8.
16. Park SS, Kim KS, Lee KS. Ultrasonography, basic physics. Daihks publishing company; 2000. pp. 499-573.
17. Merritt CR. Physics of ultrasound. In: Rummack CM, Wilson SR, Charboneau JW eds. Diagnostic ultrasound. 3rd ed. Elsevier; 2005. pp. 3-34.

SECTION

2

경부림프절

김지원, 손희영, 안동빈, 양연준, 우승훈

1

반응성 림프절
(Reactive Lymph Node)

반응성 림프절은 다양한 원인(특히 감염)에 따른 림프 조직의 면역반응에 의해 발생하는 정상적인 림프절의 종창이나 비대를 일컫는 것으로, 임상적으로 매우 흔히 접하게 되는 림프절 비대의 원인 중 하나다.[1,2] 초음파에서는 저명한 문부(hilium), 타원형 모양(elliptical/oval shape), 깨끗한 경계(well-defined smooth margin) 등의 정상 림프절의 특징을 그대로 가지면서, 림프절 피질(cortex)이 확장되어 크기만 다소 커져 있는 상태로 흔히 나타난다.[1-3] 림프절의 비대로 인해 문부의 혈류가 정상보다도 더 저명하게 나타날 수 있으며, 염증에 동반하여 나타나는 경우는 림프절 주변 연조직 비후가 동반되거나 림프절의 경계가 다소 불분명하게 보이기도 한다.[1-3]

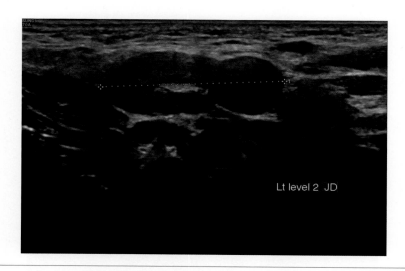

그림 2-1. 반응성 림프절 비대의 전형적 초음파 소견. 좌측 level II의 경정맥이복근 림프절의 비대가 관찰된다. 저에코의 림프절 피질이 정상에 비해 확장되어 있으나, 저명한 문부와 함께 정상적인 타원형 모양, 부드러운 경계 등의 정상 림프절의 특징을 보여주고 있다.

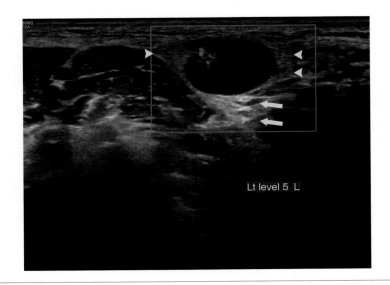

그림 2-2. 림프절 주변 연조직 비후를 동반한 반응성 림프절 비대. 좌측 level V의 반응성 림프절 비대의 초음파 소견으로, 림프절 피질의 확장으로 인해 림프절이 다소 통통한(plumpy)한 느낌을 주지만, 경계가 깨끗하고 정상적인 문부의 혈류 이외에 악성을 시사하는 비정상적인 혈류는 보이지 않는다. 염증이 동반된 반응성 림프절 비대의 경우 림프절 주변 연조직 비후(화살표 머리)가 동반되기도 하며, 피질의 확장이 심한 경우 후방음향음영[posterior acoustic shadowing(화살표)]도 보일 수 있다.

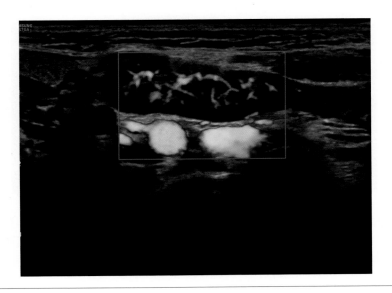

그림 2-3. 반응성 림프절 비대에서 보일 수 있는 문부 혈류의 분지(branching hilar vascularity). 림프절 내부 혈류는 증가되어 있으나, 하나의 중앙 문부 혈류 채널에서 기시하는 여러 갈래의 분지가 나오는 양상으로, 반응성 림프절 비대에서 보일 수 있으며 악성 림프절에서의 말초 혈류와는 차이가 있다.

Tips & Pearls

Basic

- 정상 림프절의 특징(타원형의 모양, 분명한 문부, 정상적인 문부 혈류, 그리고 부드러운 경계)을 모두 가지면서 림프절의 피질만 확장된 소견을 나타낸다.

Advanced

- 최근 염증 병력이 있었던 경우 림프절 주변 연조직 비후가 동반될 수 있으며, 림프절의 피질 확장이 저명한 경우 림프종과 유사하게 후방음영증가도 나타낼 수 있지만, 림프절내 괴사나 말초 혈류의 증가, 림프절끼리 엉겨 붙는 소견(matted) 등은 절대 나타나지 않는다.

2

키쿠치 림프절염
(Kikuchi Lymphadenitis)

키쿠치 림프절염 병리 소견을 바탕으로 조직구성 괴사성 림프절염으로 불리우며, 아직까지 정확한 원인은 규명되지 않았으나 자가면역반응과 상관 있을 것으로 생각되는 self-limiting 림프절염이다.[4,5] 초음파에서는 주로 다발성의 림프절 비대가 보이고, 이와 더불어 염증 상황에서 나타날 수 있는 문부 혈류의 증가, 림프절 피막의 불명확(blurred margin), 림프절 주변 연조직 비후 소견을 보이며, 그에 따라 림프절이 다소 엉겨 붙는(matted) 소견이 종종 나타날 수 있다.[4,6,7]

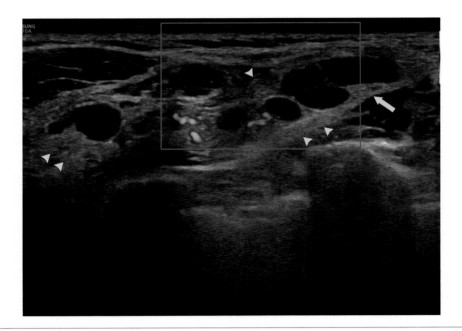

그림 2-4. 키쿠치 림프절염의 전형적인 초음파 소견. 우측 level V에 다발성의 림프절 비대 소견이 보이고, 그림 우측 상단 림프절의 경우 크기는 가장 크지만 문부(화살표)는 정상적으로 확인된다. 림프절 내에 문부 혈류 이외의 비정상적인 혈류 소견은 보이지 않으며, 림프절 주변 연조직 비후 소견(화살표 머리)이 저명하다. 염증으로 인해 일부 림프절의 경계는 다소 흐릿하게 보이는 것을 확인할 수 있다.

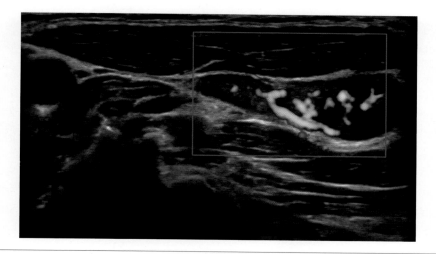

그림 2-5. 좌측 level III에 키쿠치 림프절염의 초음파 소견. 림프절 비대가 있으나 급성기 이후 염증이 심하지 않은 경우 림프절 주변 연조직 비후가 심하지 않을 수 있으며, 반응성 림프절 비대와 거의 동일한 소견을 나타낼 수 있다. 림프절 내부 혈류는 증가되어 있으나 정상적인 문부에서 기원하는 혈류가 증가되어 있는 것으로, 악성종양에서 볼 수 있는 림프절의 말초 혈류(peripheral vascularity)와는 차이를 보인다.

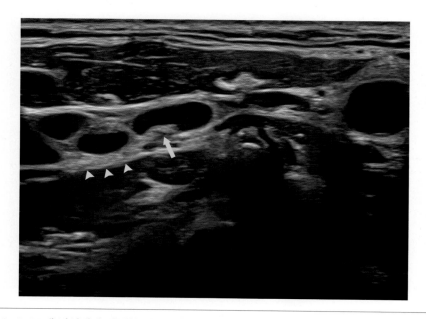

그림 2-6. 22세 남성에게 발생한 키쿠치 림프절염의 초음파. 우측 level III의 다발성의 림프절 비대가 보이고, 림프절 주변 연조직 비후(화살표 머리)가 확인되지만, 림프절의 모양은 정상적이며, 해당 영상에서 가장 큰 림프절에서는 문부(화살표) 역시 정상적으로 확인된다. 크기가 작은 림프절의 경우 정상적으로도 초음파에서 문부가 확인되지 않을 수 있다.

Tips & Pearls

Basic

- 젊은 여성에서 1개월 이상 호전과 악화를 반복하면서 지속되는 열감, 근육통, 두통, 피곤 등의 임상 양상과 함께, 초음파에서 림프절 주변 연조직 비후를 동반하는 다발성의 림프절 비대와 문부 혈류의 증가가 있을 경우 의심해야 한다.

Advanced

- 키쿠치 림프절의 초음파 소견은 아직 림프절의 정상 구조가 많이 파괴되기 전의 초기 결핵성 림프절 염과 유사하게 보일 수 있으므로, 병리학적 진단을 위한 검사 시행 시 결핵에 대한 중합효소연쇄반응 을 함께 시행하는 것이 감별진단을 위해 필요할 수 있다. 또한 키쿠치 림프절염의 회복기에는 반응성 림프절 비대와 거의 동일한 양상의 초음파 소견을 보일 수 있다.

3

결핵성 림프절염
(Tuberculous Lymphadenitis)

결핵성 림프절염은 결핵균에 의한 림프절의 염증성 종대를 나타내는 질환으로, 수주에서 수개월에 걸쳐 서서히 진행되며, 진행 정도에 따라 매우 다양한 초음파 소견을 나타낼 수 있다.[5,8] 전형적인 결핵성 림프절염의 경우 초음파에서 주로 다발성의 저에코 림프절 비대가 관찰되며, 정상적인 림프절의 타원형 모양이나 문부가 소실되는 경우가 많다. 염증 상태를 반영하는 림프절 주변 연조직 비후가 저명하며, 염증 진행 정도에 따라 림프절 내부 괴사와 함께 여러 림프절이 엉겨 붙는 소견(matted lymph node)도 흔히 나타난다. 급성 염증과는 달리 결핵성 림프절염에서는 림프절내 괴사로 인해 림프절내 혈류가 감소 또는 소실 되는 경우가 흔히 있으며, 대신 림프절 주변 연조직의 혈류는 림프절 주변 염증으로 인해 증가될 수 있으나, 급성 염증에 비하여서는 역시 저명하지 않다.[5,8]

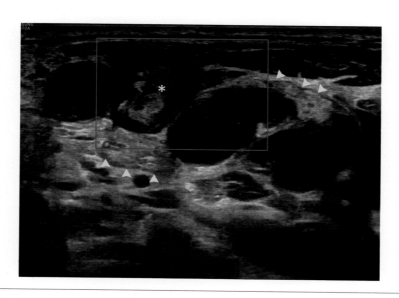

그림 2-7. 결핵성 림프절염의 전형적인 초음파 소견. 우측 level IV-V 영역에 걸쳐 다발성의 저에코 림프절 비대가 확인되며, 림프절의 모양은 매우 불규칙하다. 정상적인 문부는 거의 확인되지 않고, 염증으로 인해 림프절 주변 연조직 비후가 저명하며(화살표), 일부에서는 림프절끼리 엉겨 붙어 있는 소견(matted)이 확인된다. 또한 일부 림프절에서는 림프절 내부에 다소 고에코의 debris(별표)가 관찰되고 있다.

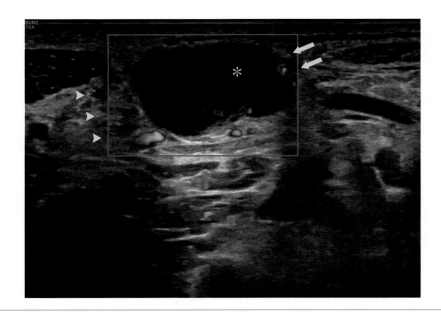

그림 2-8. 단발성으로 발생한 결핵성 림프절 소견. 우측 level V에 저에코의 림프절 종대가 관찰되는데, 정상적인 부드러운 타원형의 림프절 모양은 변형되어 다소 일그러진 형태를 보이며, 괴사를 시사하는 무에코 부분(별표)에 의해 문부 또한 다소 전위된 듯하다. 염증으로 인해 림프절 주변 연조직 비후가 저명하고(화살표 머리), 문부 혈류보다는 주변 연조직의 혈류가 더 두드러지는 양상이다. 림프절의 피막 일부가 손상(disruption)된 소견(화살표)도 확인된다.

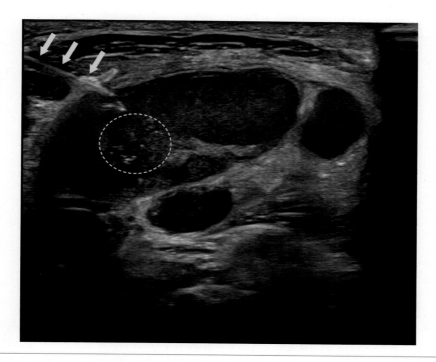

그림 2-9. 결핵성 림프절염 환자에서 중심바늘생검(화살표). 좌측 level II에 다발성의 림프절 비대가 확인되고, 림프절 경계가 지저분하며 주변 연조직 비후가 저명하다. 가장 비대된 림프절 내부에는 괴사로 인한 것으로 고에코 foci들이 관찰되고(점선 영역), 정상적인 문부는 분명하게 확인되지 않는다. 결핵성 림프절염의 경우 세침흡인검사에서 단순 만성염증이나 괴사 등의 소견만 보여 진단을 놓치는 경우가 흔히 있기 때문에 결핵 중합효소연쇄반응을 확인하는 것이 중요하며 최근에는 중심바늘생검을 통해 진단적 민감도를 높일 수 있다.

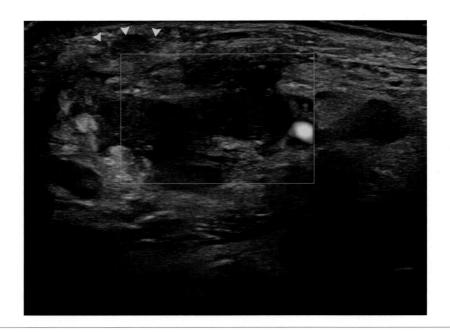

그림 2-10. 피부 누공 발생이 임박한 결핵성 림프절염. 좌측 level 1에 발생한 결핵성 림프절염으로 주변 연조직으로 염증이 파급되면서 이미 림프절의 형태는 모두 소실되고 피하조직까지 침범되어 있는 상태가 확인된다(화살표 머리). 급성 염증과는 달리 결핵 등과 같은 만성 염증에서는 주변 혈류 증가가 염증 정도에 비해 그리 저명하지 않다.

Tips & Pearls

Basic

– 수주에서 수개월에 걸쳐 진행되는 림프절 비대 환자에서 초음파상 다발성의 림프절 비대와 림프절 주변 연조직 비후, 림프절끼리 엉겨 붙는 소견, 림프절내 괴사 소견이 보이면 의심해야 한다.

Advanced

– 병의 초기 경과에는 키쿠치 림프절염과, 좀 더 진행된 경과에서는 두경부암의 경부 전이와 유사한 소견을 보일 수 있으므로 병리적 진단을 위한 세침흡인검사/중심바늘생검 등과 함께 중합연쇄효소반응 또는 결핵균 배양 등의 결핵에 대한 추가 진단적 검사를 시행하는 것이 감별진단을 위해 필요할 수 있다.[6,7,9]

갑상선의 림프절 전이
(Nodal Metastases in Thyroid Cancer)

갑상선암의 병기 설정 및 재발 진단에 있어 중요한 것은 전이림프절의 진단이다.[10] 림프절 전이는 생존율보다는 국소재발과 연관이 높다.[11] 또한 재발의 가장 흔한 원인은 첫 수술에서 제거되지 않은 남아있는 림프절의 전이이다.[12] 한편, 분화 갑상선암에서 델피안 림프절(delphian lymph node, prelaryngeal lymph node)이 있는 경우 다른 림프절 전이의 빈도가 더 높으므로, 수술전 병기 설정을 위한 초음파검사에서 이 부위에 대한 면밀한 검토가 필요하며, 의심 림프절이 있다면 다른 부위의 림프절도 꼼꼼히 살펴봐야 한다.[13] 외측 림프절 전이는 흔히 level III, IV, V에 많지만 병변이 갑상선 상극에 있는 경우 level II나 III로 skip metastasis가 있을 수 있다.[14]

1) 초음파 소견

정상적인 림프절은 초음파상에서 타원형의 림프절 내부에 고에코의 문(hilum)을 가지며 혈관은 문을 따라 분포하고 있으므로 도플러상에서 문 주위로 혈관분포가 관찰된다. 반면, 전이를 의심하는 림프절은 림프절문 소실(absent hilum), 국소 또는 전반적인 고에코(focal or diffuse hyperechogenecity), 석회화[echogenic foci (calcifications)], 낭성변화(cystic change), 비정상 림프절 혈류[abnormal vascularity (peripheral or diffuse)] 등이 있다.[15] 수술전 림프절 진단에 국소 또는 전반적인 고에코, 석회화, 낭성변화, 이상혈관소견 중 하나라도 보이면 의심 림프절(suspicious LN)로 간주하고 FNA를 시행한다.[16] 수술전 초음파에서 FNA의 기준은 의심 림프절의 경우 short diameter > 3–5 mm, 불확정림프절(indeterminate LNs)은 short diameter > 5 mm에서 FNA를 권고하며, 수술후 초음파 또는 CT 검사에서 short diameter > 8-10 mm인 경우 FNA를 시행한다.[17] FNA-Tg를 같이 측정하면 진단에 도움이 된다.[16]

2) 도플러 소견

비정상 림프절 혈류[abnormal vascularity (peripheral or diffuse)]가 관찰된다.[15,16]

3) CT 소견

CT 검사는 수술전 림프절 전이 진단을 위해 일상적으로 권고되지는 않으나 CT는 경부 림프절 전체를 볼 수 있는 검사방법으로 초음파 에코의 한계상 보이지 않거나 검사가 제한적인 부위의 림프절을 평가하는 데 도움을 준다.[17] 의심되는 림프절의 CT소견은 낭성변화(cystic change), 석회화[calcification (micro/macro)], 비균질적/강한 조영증강[heterogeneous enhancement/strong enhancement (focal or diffuse)] 등이 있다.

4) MR 소견

갑상선 분화암의 13-15%가 침윤성암의 특징을 보이는데 MR은 이의 진단에 도움이 되지만, 상대적으로 촬영에 긴 시간이 걸리며, motion artifact 등으로 영상의 질이 떨어질 수 있어 2차적으로 이용된다.[17]

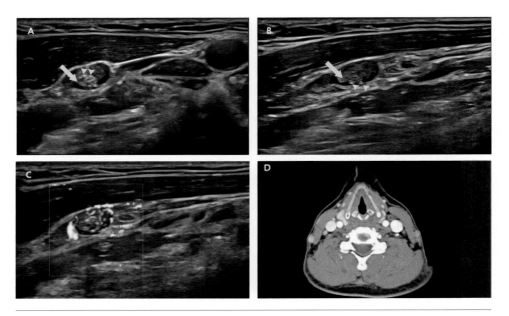

그림 2-11. 갑상선암 림프절 전이의 전형적인 초음파소견. A: 횡단(transverse) 초음파에서 낭성변화를 동반하는 국소적 고에코(화살표)에 석회화(화살표머리)를 띄는 전이림프절이 관찰된다. B: 장축(longitudinal) 초음파에서도 고에코, 낭성변화, 미세석회화가 관찰된다. C: 도플러에서 악성전이를 시사하는 비정상적인 peripheral 혈관 분포가 관찰된다. D: 컴퓨터 단층촬영(CT)에서 석회화가 동반된 조영증강된 전이림프절이 확인된다.

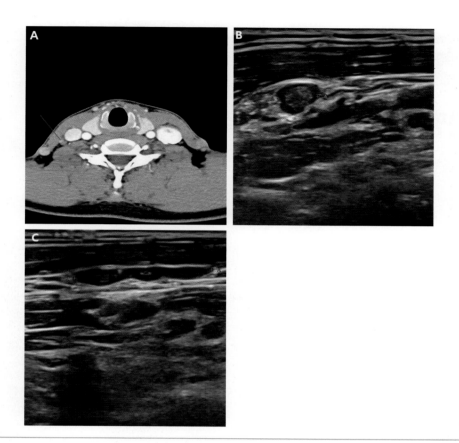

그림 2-12. Neck level IV의 갑상선암 림프절 전이. A: 컴퓨터 단층촬영(CT)에서 석회화가 동반된 조영증강된 낭성 전이림프절이 확인된다. B: 횡단(transverse) 초음파에서 낭성변화를 동반하는 림프절 안에 국소적 고에코 병변에 미세석회화를 보이는 전이림프절이 관찰된다. C: 장축(longitudinal) 초음파에서도 고에코, 낭성변화가 잘 관찰된다.

Tips & Pearls

Basic
- 초음파는 갑상선암의 경부 림프절을 평가할 때 가장 유용한 영상장비이다.
- 국소 또는 전반적인 고에코(focal or diffuse hyperechogenecity), 석회화[echogenic foci (micro-calcification)], 낭성변화(cystic change), 비정상 림프절 혈류[abnormal vascularity (peripheral or diffuse)] 소견 중 하나라도 보이면 사이즈에 따라 FNA를 고려한다.

Advanced
- 상기의 소견이 관찰될 시 초음파 촬영과 동시에 FNA를 시행할 수 있으며 FNA-Tg를 함께 시행함으로써 정확도를 더 높일 수 있다.

5

편평상피세포암의 림프절 전이

편평상피세포암 환자에게서 림프절 전이의 유무와 크기 및 양상은 환자의 병기 설정과 치료 방향 결정 및 예후 판정에 중요한 영향을 미친다.[18-20]

다양한 영상 장비를 이용하여 림프절 전이 양상을 판단하고 있지만, 특히 초음파는 CT 등에 비해 간단하고 비침습적이며, 치료 전후 림프절 크기와 양상 변화를 위한 반복적인 측정에도 효과적이다. 도플러 초음파를 통해 림프절내 혈관의 분포도 평가할 수 있다.[19,20]

특히 세침흡인검사에 유용한 도구로 사용된다.[18,20]

1) 전이 림프절의 초음파 양상

전이성 림프절은 일반적으로 둥근(round) 모양으로 주위 조직에 대해 경계가 뚜렷한 양상 (sharp borders)을 보인다. 림프절 경계에서 주위 조직과 선명하게 구별되지 않는 양상을 보인다면(unsharp nodal border) 피막외 퍼짐(extracapsular spread)을 시사한다. 인접 지방과 구조물 침범 여부가 중요하다.[19-22]

전이성 림프절은 주위 인접한 근육에 비해 저에코이며, 일반적인 림프절의 정상적인 성문 구조(normal echogenic hilar architecture)의 감소를 보인다(69-95%). [18-20,22] 석회화는 드물지만, 결절내 낭성 괴사(intranodal cystic necrosis)는 흔히 관찰된다.[19,20,22]

컬러 도플러상 말초 및 혼합(mixed: hilar and peripheral) 혈류가 모두 관찰되는 경우도 있지만, 문혈류(hilar vascularity)와 관계없이 말초 혈류가 있으면 전이를 강력히 시사한다.[20-22]

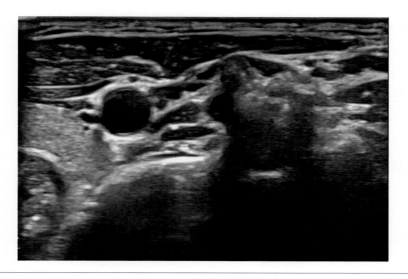

그림 2-13. 림프절 주위로 불분명한 경계 소견 및 인접 조직으로의 침범이 많다.

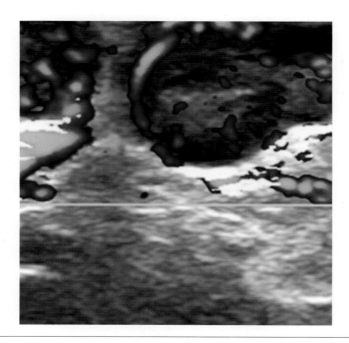

그림 2-14. 도플러 소견상 림프절의 경계 주위로 말초 혈류가 증강된 양상을 보인다. 전이 림프절은 문혈류와 관계없이 말초 혈류가 증가된 소견이 많다.

2) 초음파 평가 항목 기준[18-22]

(1) 모양 지수(the shape index)
- 지수가 1에 가까운 림프절을 구형으로 간주하며, 최소 직경과 최대 직경의 비율 계산
- 전이성 림프절일수록 1에 가까운 양상을 보임

(2) 가장자리(edge)
- 림프절과 인접 구조 사이 경계의 명확성

(3) 경계(margin)
- 림프절과 인접 구조 사이 경계의 규칙성

(4) 내부 에코의 강도
- 주변 근육의 에코 레벨에 대한 림프절의 에코 레벨의 상대적 강도에 따라 저-, 등- 또는 고에코로 분류

(5) 내부 에코의 패턴
- 획일성에 따라 동종 또는 이종으로 분류

(6) 림프절의 혈관 패턴
- 컬러 도플러 혈류 영상을 사용하여 평가하고 다음과 같이 분류

  1 = 결절내 관류(intranodal perfusion), 2 = 말초 관류(peripheral), 3 = 무혈성(avascular)

결절내 관류 패턴
- 림프절 내부의 사소한 또는 주요 색상 흐름 신호로 정의

말초 관류 패턴
- 림프절 경계에서 마이너 또는 메이저 컬러 흐름 신호

무혈성 패턴
- 림프절 내부 및 경계에서 색상 흐름 신호가 없는 것으로 정의됨

3) 편평상피세포암 전이 림프절의 평가 위치

Level I-VI, 후인두(retropharyngeal) 및 이하선 공간을 평가한다.

특히, Level IIA가 가장 호발하는 부위이므로 정확한 평가가 필요하다.[19-22]

4) 초음파를 이용한 전이 림프절 경과 관찰

초음파는 림프절 전이 여부가 중요한 환자의 병기 평가에서 자주 시행할 수 있는 안전한 영상 평가 도구이다.[18,19]

치료 후 호전된 림프절을 평가하는 것은 주로 림프절의 크기로 평가하며, 다발성의 경우 림프절의 개수와 위치도 중요한 인자이다.[19-22]

최대 직경이 가장 큰 림프절을 기준으로 2차원 크기 측정(두께 × 단경)을 통해 치료 효과를 평가할 수 있다.[20-22]

5) 전이 림프절의 CT 소견(초음파 소견과 비교)

결절 경계의 번짐과 경계 에코 증가 소견이 관찰된다.[18,19,23]

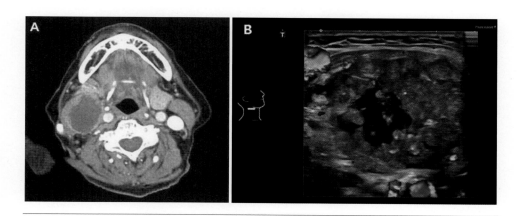

그림 2-15. A: 컴퓨터 단층촬영에서 Rt level II에 조영증강 전이 림프절이 확인된다. 5 cm의 크기에 불균일하면서도 두꺼운 경계가 조영 증가되어 있다. 림프절 내부는 균일한 저강도의 조영 소견을 보이며 괴사소견을 의심할 수 있다. B: 동일 환자의 초음파 소견으로 불균일한 경계와 저에코 소견에 내부 낭성 괴사 의심소견이 보인다.

6) 전이 림프절의 MR 소견

T1W1에서는 주위 근육과 등신호 강도(isointense)를 보인다. T2W1에서는 고신호 강도(hyperintense)를 보이며, 괴사 및 낭성 변화 조직에서 부분적으로 강한 고강도 소견을 보인다.[1-3]

Tips & Pearls

Basic
– 편평상피세포암의 림프절 전이를 의심하는 중요 소견: 저에코성 고형결절이면서 경계가 거칠거나 불명확한 경우, 미세석회화가 보이는 경우, 말초 혈관 혈류가 증가한 경우

Advanced
– 암 의심 결절이 있는 경우에는 측경부 및 후인두와 이하선 림프절에 대한 초음파검사가 필요하다.

6

경부 원격전이
(Systemic Metastases in Neck Nodes)

경부 원격전이는 심부 경부(deep cervical), 쇄골 상부(supraclavicular) 그리고 척수부신경 (spinal accessory) 주변의 림프절에서 가장 흔하게 관찰된다. 림프절 전이는 주로 좌하경부에 밀집되는 경향이 있는데, 그 원인은 흉관(thoracic duct)의 배출이 해당부위에서 일어나기 때문이다.[24] 우선 크기 및 개수에 상관없이 좌하경부에 존재하는 고형(solid)의 저에코성 림프절이 일반적이지 않은 혈관성과 구조를 보인다면 원격전이를 의심하고 검사를 진행해야 한다. 초음파 및 초음파 유도 미세침 흡인검사는 이를 평가하는 데 있어 매우 이상적이다.[25,26]

1) 초음파 소견

림프절문(echogenic hilum)이 관찰되지 않는 고형성, 저에코성의 림프절이 관찰된다. 비대해진 림프절 내에 낭성 혹은 고에코성 부분이 존재하며, 모양은 좌우가 넓은 타원모양에서 둥근 모양으로 바뀌며, 림프절 내에 응고성(coagulation), 낭성(cystic) 괴사가 종종 발견된다.[27]

2) 도플러 소견

말초에만, 혹은 말초 및 림프절문의 혈관분포가 함께 관찰된다. Spectral 도플러에서 높은 림프절내 혈관저항(vascular resistance)을 보인다[resistive index (RI) > 0.8, pulsatility index (PI) > 1.6].

3) CT 소견

좌하경부에 크기가 1.5 cm 이상이면서 원형의 림프절이 있다면, 전이를 고려해야 한다. 증강되는 양상은 다양하나, 주로 증강이 균등한 양상(homogenous)을 보이며, 말초부분의 증강 (peripheral enhancement)이 눈에 띌 수 있다.[28, 29]

4) MR 소견

T1 이미지에서 경부 림프절 종물은 보통 근육과 비슷한 신호강도(isotense)를 보인다. 조영증강은 거의 되지 않으나, 림프절 괴사가 있을 시에 말초의 증강이 보일 수 있다. T2 이미지에서는 근육보다 높은 신호강도(hyperintense)를 보인다.[30]

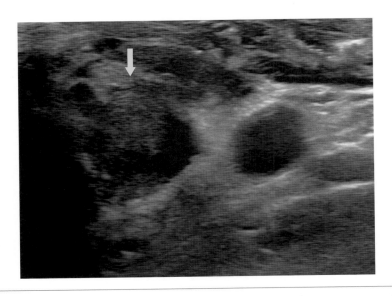

그림 2-16. 정상적인 림프절문 구조가 존재하지 않는 단독의 고형성, 저에코성 림프절(화살표)이 관찰된다. 타원형보다 원형에 가까운 모습이며, 경계가 명확하지 않는 형태를 보이고 있다.

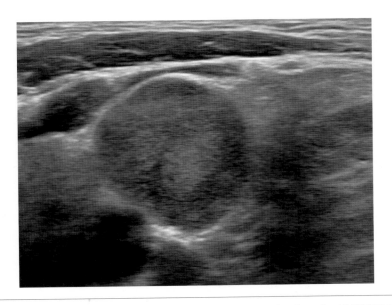

그림 2-17. 림프절문이 보이지 않으며, 비대해진 원형의 림프절 내부에 고에코성 병변이 림프절의 대부분을 차지하고 있다.

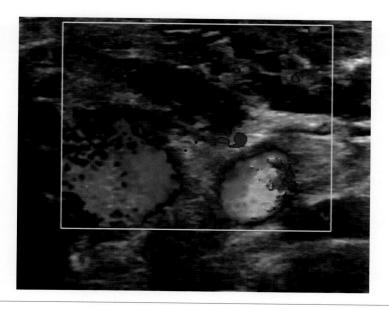

그림 2-18. 도플러상 림프절의 중심부에서 말초까지 고르고 넓은 형태의 혈관 분포를 보이고 있다.

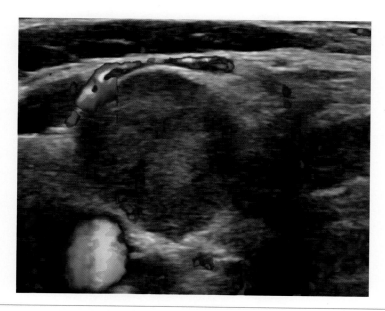

그림 2-19. 림프절문의 혈관 분포가 소실되어 전혀 보이지 않는 비정상적인 혈관 분포가 관찰된다.

Tips & Pearls

Basic
- 초음파는 경부 림프절을 평가할 때 가장 유용한 영상장비이다.
- 크기와 숫자에 관계없이 전신성 악성종양(systemic malignancy)을 진단받은 환자에서 하경부에 발견되는 고형, 원형의 저에코성 림프절이 비정상적인 혈관 분포와 구조를 보인다면, 악성을 의심해야 한다.

Advanced
- 상기의 소견이 관찰될 시 초음파 촬영과 동시에 손쉽게 미세침 흡인 세포검사를 시행할 수 있으며, 반드시 원발암 평가를 위한 추가적인 영상 검사가 이루어져야 한다.

7

비호지킨 림프종
(Non-Hodgkin Lymphoma Nodes)

비호지킨 림프종의 유병률은 나이의 증가와 연관이 있으며, 면역억제 환자에게 더 호발하는 경향이 있다. 림프절 체인의 양측성, 다발성의 비괴사성 비대가 관찰되는데, 이는 일반적이지 않은 림프절 공간(후인두공간, 악하 공간, 후두부)도 포함된다. 만약 이후에 언급할 초음파 특성을 보이는 비호지킨 림프종 의심 병변이 관찰된다면, 술자의 역량 및 판단에 따라 미세침흡인 세포검사보다는 중심바늘 생검 혹은 절제 생검이 필요할 수 있다.[31, 32]

1) 초음파 소견

일반적으로 원형이며, 경계는 매끄럽다. 정상적인 림프절문을 상실한 고형결절(72-73%)이 대부분이며, 석회화는 드물다. 또한 이런 고형성의 특징을 가짐에도 불구하고 후증강(posterior enhancement)을 보이는 경우가 있다. 낭성 괴사는 드무나, 만약 존재한다면 좀 더 공격적인 형태의 비호지킨 림프종일 가능성이 높다.[33, 34]

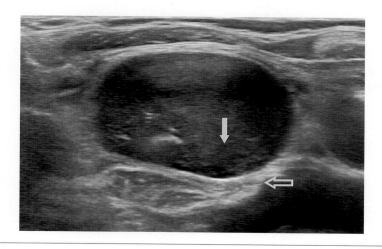

그림 2-20. 내부에 망상형(reticular)/소결절성(micronodular) 형태를 보이는 경계가 명확하고, 고형성이며, 저음영의 림프절(노란색 화살표)이 관찰된다. 뚜렷한 후증강(노란 테두리 화살표)은 비호지킨 림프종에서 잘 보이는 형태임을 인지해야 한다.

2) 도플러 소견

비호지킨 림프종에서는 일반적으로 림프절문과 말초의 혈관분포가 함께 뚜렷이 관찰되며, 말초 혈관분포만 뚜렷한 경우는 드물다.

3) 진단 체크리스트

만약 초음파 검사에서 비호지킨 림프종이 의심된다면 추가적인 조직검사가 필요하며, 미세침 흡인 세포검사보다는 중심바늘 생검 혹은 절제 생검이 필요할 수 있다. 후인두 및 종격동 공간의 평가는 초음파로 할 수 없고, 질환의 범위를 판단하기 위해선 조영증강 컴퓨터 단층 촬영 및 양전자 단층촬영이 필요하다.[35]

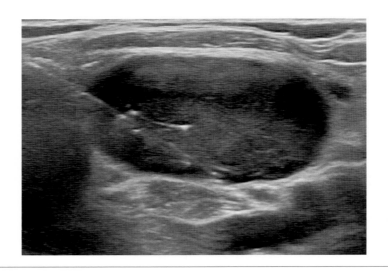

그림 2-21. 의심되는 림프절에 초음파 유도하 중심바늘 생검을 시행할 수 있다. 검사의 결과가 음성이라면 임상적인 부분을 고려하여 절제 생검을 추가적으로 시행해 볼 수 있다.

4) CT 소견

림프절이 주변 근육보다 저음영을 보이며 석회화는 드물다. 양측 경부 림프절의 다발성 종물이 보이며, 바깥 경계의 조영증강(peripheral rim enhancement)이 관찰된다.[33, 36]

5) MR 소견

T1 이미지에서 림프절은 근육과 비슷한 신호강도를 보이며, T1 C+에서는 전반적으로 균등한 양상의 조영증강을 보인다. T2 이미지에서는 림프절이 근육보다 높은 신호강도를 보인다.[37]

Tips & Pearls

Basic

- 비호지킨 림프종을 의심하는 소견: 매끄러운 경계의 원형, 고형 림프절이면서, 정상적인 림프절문을 상실하고 후증강을 보이는 다수의 림프절들이 양측성으로 경부에 관찰될 경우

Advanced

- 상기의 소견이 관찰될 시 조직학적 검사가 필요하며, 주로 중심바늘 생검이나 절제 생검이 우선된다. 질환의 범위 등을 평가하기 위해서 CT나 PET 영상이 필요하다.

참고문헌

1. Koischwitz D, Gritzmann N. Ultrasound of the neck. Radiol Clin North Am 2000;38:1029-45.

2. Ying M, Ahuja A. Sonography of neck lymph nodes. Part I: normal lymph nodes. Clin Radiol 2003;58:351-8.

3. Ahuja A, Ying M. An overview of neck node sonography. Invest Radiol 2002;37:333-42.

4. Ahuja AT, Ying M. Sonographic evaluation of cervical lymph nodes. AJR Am J Roentgenol 2005;184:1691-9.

5. Ying M, Ahuja AT. Ultrasound of neck lymph nodes: how to do it and how do they look? Radiography 2006;12:105-17.

6. Lo WC, Chang WC, Lin YC, et al. Ultrasonographic differentiation between Kikuchi's disease and lymphoma in patients with cervical lymphadenopathy. Eur J Radiol 2012;81:1817-20.

7. Yoon YS, Han JK, Shin HC, et al. Comparative analysis of tuberculous lymphadenitis and Kikuchi disease of the neck. J Korean Soc Radiol 2014;71:6-13.

8. Moon IS, Kim DW, Baek HJ. Ultrasound-based diagnosis for the cervical lymph nodes in a tuberculosis-endemic area. Laryngoscope 2015;125:1113-7.

9. Prativadi R, Dahiya N, Kamaya A, et al. Ultrasound characteristics of benign vs malignant cervical lymph nodes. In: Gayer G, Raymond HW, Swartz JD. Seminars in ultrasound, CT and MRI. Elsevier; 2017. pp. 506-15.

10. Choi SY, Choi WH, Park CH. Current concepts in the follow-up of patients with thyroid papillary carcinoma. J Clin Oncol 2008;4:10-4.

11. Yi KH, Lee EK, Kang HC, et al. 2016 revised Korean thyroid association management guidelines for patients with thyroid nodules and thyroid cancer. Int J Thyroidol 2016;9:59-126.

12. 윤현조, 강상율, 정성후. 갑상선암의 치료에서 초음파의 유용성. J Surg Ultrasound 2018;5:11-7.

13. Huang J, Sun W, Zhang H, et al. Use of Delphian lymph node metastasis to predict central and lateral involvement in papillary thyroid carcinoma: a systematic review and meta-analysis. Clin Endocrinol (Oxf) 2019;91:170-8.

14. Park JH, Lee YS, Kim BW, et al. Skip lateral neck node metastases in papillary thyroid carcinoma. World J Surg 2012;36:743-7.

15. Orloff LA. Head and neck ultrasonography: essential and extended applications. Plural Publishing; 2017.

16. Ahuja AT. Diagnostic Ultrasound: Head and Neck. Elsevier; 2019.

17. Ha EJ, Chung SR, Na DG, et al. 2021 Korean thyroid imaging reporting and data system and imaging-

based management of thyroid nodules: Korean Society of Thyroid Radiology consensus statement and recommendations. Korean J Radiol 2021;22:2094-123.

18. Richards PS, Peacock TE. The role of ultrasound in the detection of cervical lymph node metastases in clinically N0 squamous cell carcinoma of the head and neck. Cancer Imaging 2007;7:167-78.

19. Terada H, Shimode Y, Furukawa M, et al. The utility of ultrasonography in the diagnosis of cervical lymph nodes after chemoradiotherapy for head and neck squamous cell carcinoma. Medicina (Kaunas) 2021;57:407.

20. Pauzie, M Gavid, JM Dumollard, et al. Infracentimetric cervical lymph node metastasis in head and neck squamous cell carcinoma: Incidence and prognostic value. Eur Ann Otorhinolaryngol Head Neck Dis 2016;133:307-11.

21. K Yuasa, T Kawazu, T Nagata, et al. Computed tomography and ultrasonography of metastatic cervical lymph nodes in oral squamous cell carcinoma. Dentomaxillofac Radiol 2000;29:238-44.

22. Ahuja AT, Ying M, Ho SY, et al. Ultrasound of malignant cervical lymph nodes. Cancer Imaging 2008;8:48-56.

23. Shetty D, Jayade BV, Joshi SK, et al. Accuracy of palpation, ultrasonography, and computed tomography in the evaluation of metastatic cervical lymph nodes in head and neck cancer. Indian J Dent 2015;6:121−4.

24. Giacomini CP, R.B. Jeffrey, and L.K. Shin Ultrasonographic evaluation of malignant and normal cervical lymph nodes. Semin Ultrasound CT MR 2013;34:236-47.

25. Allin D, et al. Use of core biopsy in diagnosing cervical lymphadenopathy: a viablealternative to surgical excisional biopsy of lymph nodes? Ann R Coll Surg Engl 2017;99:242-4.

26. Ahuja, A.T. and M. Ying, Sonographic evaluation of cervical lymph nodes. AJR Am J Roentgenol, 2005. 184(5): p. 1691-9.

27. A. A. and Y. M Sonography of neck lymph nodes. Part II: abnormal lymph nodes. Clinical Radiol 2003;58:359-66.

28. Ota I, and T. Kitahara Cancer of unknown primary in the head and neck: Diagnosis and treatment. Auris Nasus Larynx 2021;48:23-31.

29. Nikolova PN, et al. The impact of 18F-FDG PET/CT in the clinical management of patients with lymph node metastasis of unknown primary origin. Neoplasma 2021;68:180-9.

30. Ahuja, A.T. Elsevier eBooks+: Diagnostic Ultrasound: Head and Neck E-Book. 2019

31. Yan S, et al. Analysis of the clinicopathologic characteristics and prognosis of head and neck lymphoma. Anal Cell Pathol (Amst) 2022;2022:4936099.

32. A. A. and Y. M, Sonography of neck lymph nodes. Part II: abnormal lymph nodes. Clinical radiology, 2003. 58(5).

33. Kamiński B, Lymphomas of the head-and-neck region. J Cancer Res Ther 2021;17:1347-50.

34. Burke C, et al. Ultrasound-guided core biopsy in the diagnosis of lymphoma of the head and neck. A 9 year experience. Br J Radiol 2011;84:727-32.

35. Cuenca-Jimenez T, et al. The diagnostic performance of ultrasound-guided core biopsy in the diagnosis of head and neck lymphoma: results in 226 patients. Int J Oral Maxillofac Surg 2021;50:431-6.

36. Storck K, et al. Clinical presentation and characteristics of lymphoma in the head and neck region. Head Face Med 2019;15:1.

37. Ahuja, A.T. Elsevier eBooks+: Diagnostic Ultrasound: Head and Neck E-Book. 2019

SECTION **3**

갑상선 부갑상선 질환

손진호, 이영찬, 천병준, 하정훈

1

해부학

1) 갑상선 해부학

갑상선은 일반적으로 나비 모양으로 경부의 정중앙, 쇄골의 1-3 cm 위의 높이에 위치한다. 갑상선은 우측, 좌측 엽과 이를 연결하는 협부로 구성되어 있다. 약 50% 이내의 환자에서 갑상선의 좌우엽 또는 협부에서 기원하는 추체엽(pyramidal lobe)이 존재하는 것으로 알려져 있으며 갑상선의 상부로 연장되어 있다. 갑상선은 후두와 기관을 둘러싸고 있으며 외측으로 sternothyroid, sternohyoid, omohyoid의 superior belly, sternocleidomastoid으로 구성된 strap muscle로 덮여있다. 식도는 보통 좌측 갑상선 엽의 내후방에 접하게 된다. 갑상선으로 공급되는 동맥은 외경동맥에서 기원한 superior thyroid artery와 thyrocervical trunk에서 기원한 inferior thyroid artery로 구성된다. 간혹 innominate artery, carotid artery 또는 aortic arch에서 기원한 thyroid ima artery를 통해 혈류가 공급된다.

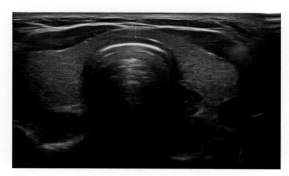

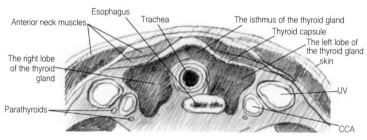

Anterior neck muscles	Esophagus	Trachea	The isthmus of the thyroid gland
The right lobe of the thyroid gland			Thyroid capsule
Parathyroids			The left lobe of the thyroid gland
			skin
			IJV
			CCA

그림 3-1. 갑상선 해부.
정상 갑상선과 주변 구조물이 관찰되는 axial view 갑상선과 carotid artery, strap muscle, 식도와의 관계를 확인할 수 있다. 갑상선 초음파에서 가장 시작이 되는 소견이다. 정상 갑상선의 초음파상 에코는 균질하며 갑상선을 덮고 있는 근육(strap muscle, SCM)보다 약간 높고 타액선과 비슷한 에코(homogenous hypoechoic echo)를 보인다. 또한 echogenic capsule로 둘러싸여 있다.

47

2) 정상 갑상선 부갑상선 초음파 소견

갑상선과 부갑상선의 초음파 검사를 위해서는 환자의 목을 뒤로 젖힌 후에 관찰해야 한다. 체계적인 검사를 위해 보통 경부의 아래 1/3 지점 전방의 transverse plane의 갑상선부터 검사를 시작한다.

정상 갑상선의 초음파상 에코는 균질하며 갑상선을 덮고 있는 근육(strap muscle, SCM)보다 약간 높고 타액선과 비슷한 에코(homogenous hypoechoic echo)를 보인다.[1-2] 또한 echogenic capsule로 둘러싸여 있다. 갑상선 엽은 일반적으로 3등분하여 superior, middle, inferior로 구분하여 검사한다.

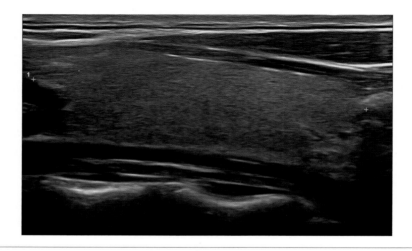

그림 3-2. 정상 갑상선의 정중앙 횡단면(midline transverse) view.

갑상선의 초음파 영상은 transverse plane, longitudinal plane을 얻으며, 원칙적으로 프로브의 좌측단이 transverse plane에서는 환자의 우측을 향하고 longitudinal plane에서는 환자의 머리쪽을 향하게 한다.

Longitudinal plane에서 craniocaudal longitudinal diameter는 upper pole에서 lower pole까지의 거리로 측정하며 transverse plane에서 갑상선 엽의 최대 넓이와 깊이를 측정할 수 있다.

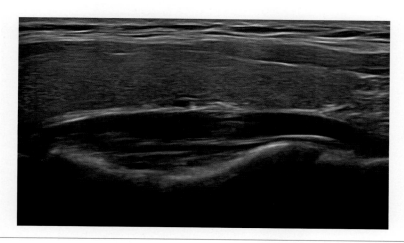

그림 3-3. 우측 갑상선의 sagittal view. Strap muscle로 덮여 있으며 아래로 vertebrae가 관찰된다. Longitudinal plane에서 craniocaudal longitudinal diameter는 upper pole에서 lower pole까지의 거리로 측정한다.

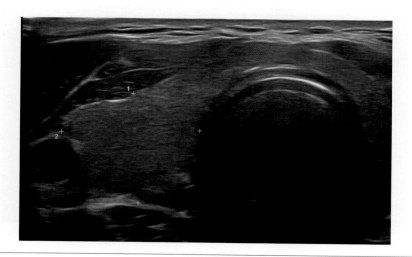

그림 3-4. 우측 갑상선의 axial view. Transverse plane에서 횡(transverse) 길이와 전후 길이(anteroposterior)를 측정하여 갑상선 엽의 크기를 측정할 수 있다.

2022년 2월 15일부터 시행된 갑상선 초음파의 급여 기준에서 갑상선/부갑상선 진단 초음파의 표준영상 범위는 다음과 같다.

- 우엽 중부 횡스캔, 우엽 중앙부 종스캔, 협부 횡스캔, 좌엽 중부 횡스캔, 좌엽 중앙부 종스캔, 우측 경부 림프절, 좌측 경부 림프절, 중심 경부 림프절

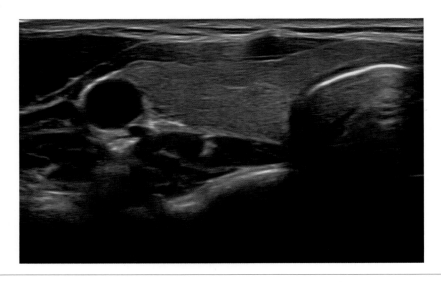

그림 3-5. 갑상선 진단 초음파의 표준 영상 중 우엽 중앙부 횡스캔 예시

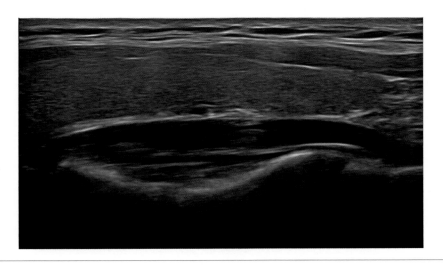

그림 3-6. 갑상선 진단 초음파의 표준 영상 중 우엽 중앙부 종스캔 예시

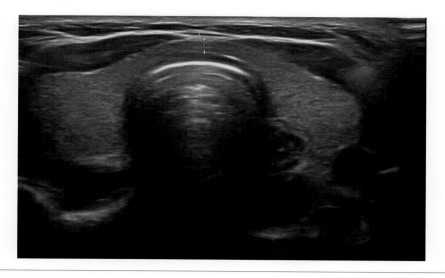

그림 3-7. 갑상선 진단 초음파의 표준 영상 중 협부 횡스캔 예시

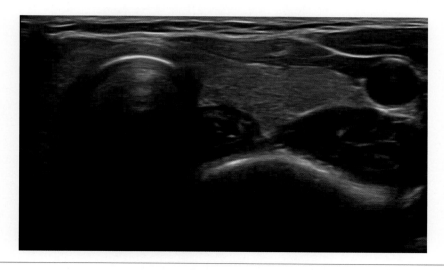

그림 3-8. 갑상선 진단 초음파의 표준 영상 중 좌엽 중앙부 횡스캔 예시

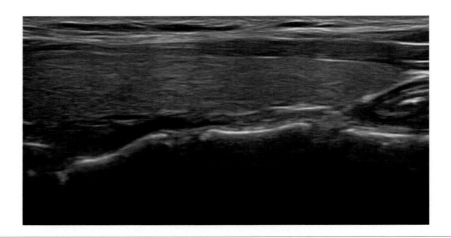

그림 3-9. 갑상선 진단 초음파의 표준 영상 중 좌엽 중앙부 종스캔 예시

갑상선을 덮고 있는 근육은 전 내측부터 sternohyoid muscle, sternothyroid muscle이다. 이 두 근육의 양 외측으로 sternocleidomastoid muscle이 위치한다.

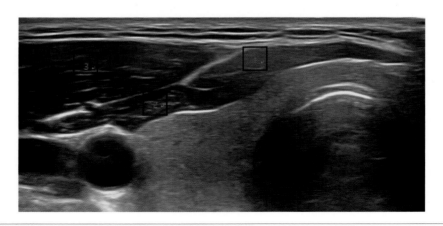

그림 3-10. 갑상선을 덮고 있는 근육층. 피부층과 cervical fasci와 구분되며 platysma, strap muscle, sternocleidomastoid muscle 등이 hypoechoic하게 관찰된다.
1: Sternohyoid muscle 2: Sternothyroid muscle, 3: Sternocleidomastoid muscle

갑상선의 아래로 기관 연골이 관찰되며 인공반향 에코(artificial reverberation echoes)를 나타 낸다. 갑상선의 양측으로 대혈관인 common carotid artery, internal jugular vein이 위치한다. 이 대혈관들의 주변으로 vagal nerve가 관찰될 수 있다.

갑상선의 바닥으로 longus coli muscle과 vertebral column이 관찰된다. 갑상선 초음파 영상의 가장 적절한 깊이는 화면 바닥으로 longus coli가 확인되는 깊이이다.

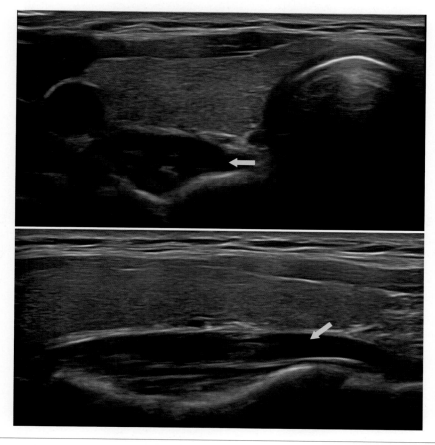

그림 3-11. Longus coli가 바닥에 확인되는 정도가 갑상선 초음파의 가장 적절한 깊이이다.

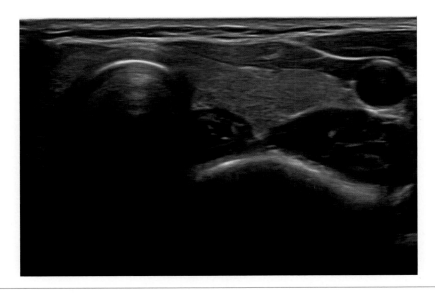

그림 3-12. 상부 식도는 일반적으로 좌측 갑상선 엽의 아래, vertebral column 옆에서 관찰된다. 식도의 내측면은 기관의 acoustic shadow로 덮여 있으며 양파 모양의 패턴(onion-like pattern)을 가진다. 간혹, 병변으로 오인될 수 있으나 검사자에게 침을 삼키게 하였을 시 연동 운동이 관찰되는 것으로 식도임을 확인할 수 있다.

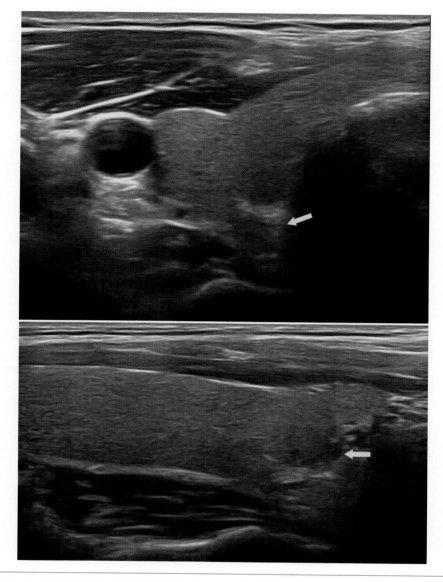

그림 3-13. 갑상선 엽의 후면의 아랫 부분에는 Zukerkandl 결절이라고 불리우는 fibrous hyper-echoic septum이 main lobe에서 분리되어 돌출된 것을 확인할 수 있다. 이는 일반적으로 갑상선의 실질과 동일한 echogenicity를 보이나 간혹 저하된 에코를 나타낼 수 있어 병변으로 의심될 수 있다.

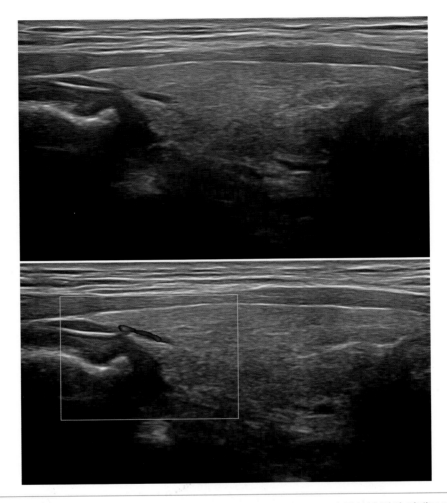

그림 3-14. Parasagittal longitudinal에서 superior thyroid artery가 갑상선 엽의 아래로 내려가는 것을 잘 관찰할 수 있다.

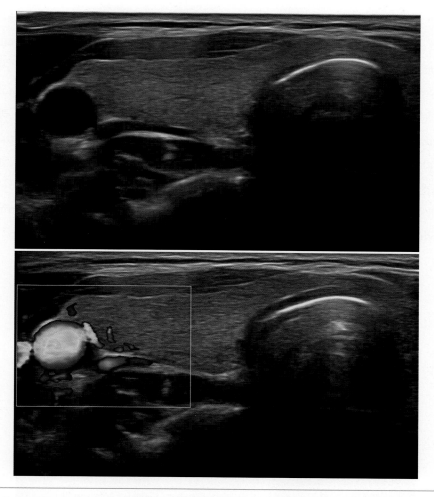

그림 3-15. Grayscale axial 영상에서 우측 갑상선의 lower pole에 inferior thyroid artery가 주행하는 것을 확인할 수 있으며 color doppler를 통해 혈류를 잘 확인할 수 있다.

정상 부갑상선은 보통 초음파상에서 흔하게 관찰되지는 않는다. 상부갑상선(superior parathyroid gland)은 네 번째 branchial arch에서 기원하여 그 위치가 대부분 일정하며 cricothyroid junction 근처의 갑상선 상극의 후면에 위치하고 middle thyroid vein과 가까이 있다. 이에 반해 하부갑상선(inferior parathyroid gland)은 세 번째 branchial arch에서 기원하여 thymus와 함께 하강해서 갑상선의 하극 높이에 위치하고 보통 상부갑상선보다 전방, 반회후두신경의 배측(ventral)에 위치한다. 그러나 실제로는 훨씬 위치가 다양하다. 초음파상에서는 sagittal 또는 longitudinal 영상이 부갑상선의 전체를 관찰할 수 있고, 주변 혈관 및 식도와 구분할 수 있어서, 부갑상선을 찾는데 가장 유용하다. 또한, sagittal 영상에서 하갑상동맥은 부갑상선을 찾는 랜드마크가 될 수 있다. 일반적으로 하부갑상선이 초음파에서 관찰되는 경우가 더 많고 perithyroidal 구역에서 oval, homogenous, hyperechoic하게 관찰된다.[3]

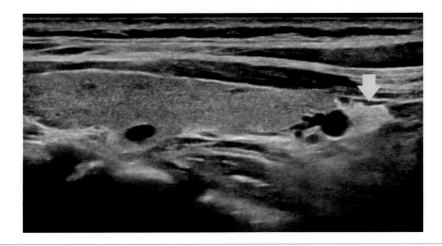

그림 3-16. Sagittal 영상에서 갑상선의 lower pole의 하갑상동맥 옆에 homogenous, hyperechoic한 하부갑상선을 확인할 수 있다.

참고문헌

1. Orloff LA. Head and neck ultrasonography: essential and extended applications. 2nd ed. Plural Publishing; 2017.
2. Welkoborsky HJ, Jecker P. Ultrasonography of the head and neck: an imaging atlas. Springer; 2019.
3. Cohen SM, Noel JE, Puccinelli CL, et al. Ultrasound identification of normal parathyroid glands. OTO Open 2021;5:2473974X211052857.

2

결절성 갑상선 질환

1) Korean Thyroid Imaging Reporting and Data System (K-TIRADS)

갑상선 초음파를 하기 위해서는 기본적으로 갑상선 초음파검사에 쓰이는 용어의 정의와 Korean thyroid imaging reporting and data system (K-TIRADS)에 대해 숙지할 필요가 있다. 대한갑상선영상의학회에서는 2016년 TIRADS를 한국의 기준에 맞추어 수정한 K-TIRADS를 발표하였고, 2021년에 개정판이 발표되었다. 이번 장에서는 2021년 개정판을 중심으로 소개하고자 한다.[1] 각 초음파 사진에는 결절마다 K-TIRADS를 표시해 놓았으니 참고하기 바란다.

(1) 용어의 정의

① 구성성분(composition) (그림 3-17)

결절의 내부 내용물은 다음과 같이 다섯 가지로 구분한다.

- Solid 고형(no obvious cystic content)

- Predominantly solid 주로 고형(≤ 50% of the cystic portion)

- Predominantly cystic 주로 낭성(> 50% of the cystic portion)

- Cystic 낭성(no obvious solid content)

- Spongiform 해면모양(microcystic changes > 50% of solid component)

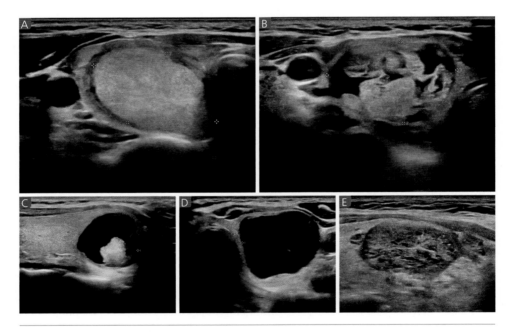

그림 3-17. Solid (A: solid, isoechoic, smooth margin K-TIRADS 3), predominantly solid (B: predominantly solid, isoechoic, smooth margin K-TIRADS 3), predominantly cystic (C: predominantly cystic, isoechoic, smooth margin K-TIRADS 3), cystic (D: K-TIRADS 2), Spongiform (E: K-TIRADS 2)

(2) 에코강도(echogenicity) (그림 3-18)

에코강도는 결절 구성성분 중에 석회화가 없는 고형성분 부위를 기준이 되는 구조물(갑상선 실질과 전경부 근육)과 상대적으로 비교하여 총 네 가지로 분류한다.

- Markedly hypoechoic 현저한 저에코성(hypoechoic or similar echogenicity relative to the anterior neck muscles)
- Mildly hypoechoic 약한 저에코성(hypoechoic relative to the normal thyroid parenchyma and hyperechoic relative to the anterior neck muscles)
- Isoechoic 등에코성(same echogenicity as that of the thyroid parenchyma)
- Hyperechoic 고에코성(hyperechoic relative to the normal thyroid parenchyma)

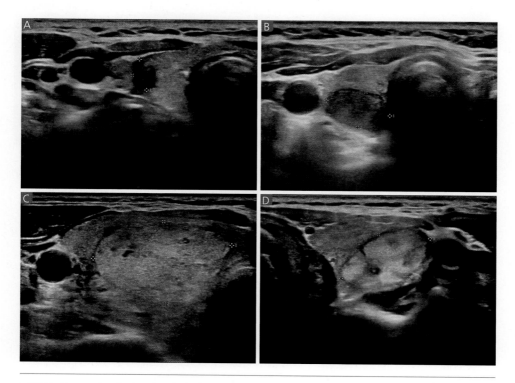

그림 3-18. markedly hypoechoic (A: solid, markedly hypoechoic, irregular margin, non-parallel K-TIRADS 5), mildly hypoechoic (B: solid, mildly hypoechoic, smooth margin K-TIRADS 4), isoechoic (C: solid, isoechoic, smooth margin K-TIRADS 3), hyperechoic (D: solid, hyperechoic, smooth margin K-TIRADS 3)

(3) 결절의 모양과 방향(shape & orientation) (그림 3-19)

결절의 방향은 결절이 자란 방향으로 정해지는데 parallel orientation과 nonparallel orientation으로 나눌 수 있다. Parallel orientation은 초음파의 횡단면(transverse plane)에서 결절의 전후 직경이 횡직경보다 작은 경우(anteroposterior diameter ≤ transverse diameter)를 말한다. Nonparallel orientation은 흔히 "taller-than-wide shape"이라는 초음파 소견과 같은 뜻으로 결절의 악성도를 예측하는 독립적인 인자로 사용되는데 초음파의 횡단면에서 결절의 전후 직경이 횡직경보다 큰 경우를 말한다(anteroposterior diameter > transverse diameter).[2,3]

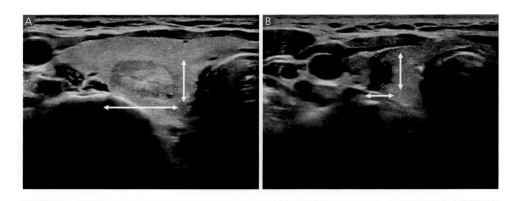

그림 3-19. Parallel (A: solid, isoechoic, smooth margin K-TIRADS 3), Non-parallel, taller than wide (B: solid, markedly hypoechoic, irregular margin, non-parallel K-TIRADS 5)

(4) 경계(margin) (그림 3-20)

결절의 경계는 smooth, irregular, or ill-defined로 나눌 수 있다. 분명하게 주위와 구분되는 경계가 관찰되고 경계가 매끄러운 경우는 smooth로 분류하고 주위와 구분되지만 경계가 침상 (spiculation)또는 미세소엽(microlobulation) 등과 같이 매끄럽지 못한 경우는 irregular로 분류한다. 경계가 잘 그려지지 않는 경우는 ill-defined로 구분한다.[2-4] smooth나 ill-defined margins는 악성위험도를 높이지는 않지만 irregular margins인 경우 악성을 예측하는 독립인자로 사용된다.[5,6]

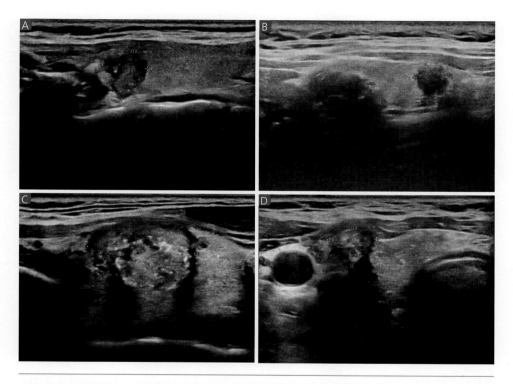

그림 3-20. 다양한 irregular margin을 보이는 결절 소견. 이러한 경계를 가지는 경우 악성결절인 경우가 거의 대부분이다. 사진에 보이는 결절은 모두 K-TIRADS 5로 수술적 절제 후 유두암으로 판명된 케이스들이다(A: spiculated margin, non-parallel, microcalcification, B: microlobulated margin, non-parallel, C: microlobulated margin, microcalcification, D: ill-defined margin, microcalcification, extra thyroidal extension).

(5) 에코성 병소, 석회화(echogenic foci, calcifications) (그림 3-21)

에코성 병소(석회화)는 결절내부 또는 갑상선 실질에 국소적인 고에코 영역을 말한다. 크게 다음과 같이 네 가지 경우로 나눌 수 있다.

- 미세석회화(microcalcifications): punctate (≤ 1 mm) hyperechoic foci within the solid component of a nodule
- 거대석회화(macrocalcifications): large (> 1 mm) hyperechoic foci with posterior acoustic shadowing
- 가장자리 석회화(rim calcifications): peripheral curvilinear hyperechoic line surrounding the nodule margin with or without posterior shadowing (complete or incomplete)
- 낭종 내의 에코성 병소(comet-tail artifact): intracystic echogenic foci showing comet-like echogenic tail

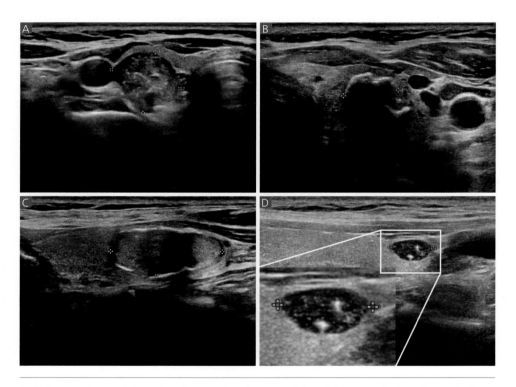

그림 3-21. microcalcification (A: predominant solid, mild hypoechoic, microcalcification, smooth margin K-TIRADS 5), macrocalcification (B: entirely macrocalcification K-TIRADS 4), rim calcification (C: solid, isoechoic, rim calcification K-TIRADS 4), Comet-tail artifact (D: cystic, comet-tail artifact K-TIRADS 2)

(6) 혈류(vascularity) (그림 3-22)

컬러 도플러를 이용하여 다음과 같이 네 가지로 분류할 수 있다.[4] 결절 내부의 혈류증가가 악성도를 약간 높일 거라는 보고가 있기는 하지만 갑상선 악성 종양의 진단에 있어서는 아직 논란의 여지가 있다.[7]

- Type 1: no vascularity
- Type 2: perinodular vascularity only [circumferential vascularity at the nodule margin]
- Type 3: mild intranodular vascularity with or without perinodular vascularity (vascularity < 50%)
- Type 4: marked intramodular vascularity with or without perinodular vascularity (vascularity ≥ 50%)

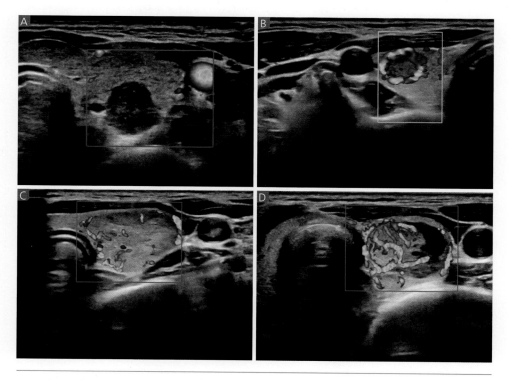

그림 3-22. type 1 (A: solid, marked hypoechoic, smooth margin K-TIRADS 4), type 2 (B: solid, marked hypoechoic, smooth margin K-TIRADS 4), type 3 (C: solid, isoechoic, smooth margin K-TIRADS 3), type 4 (D: predominant solid, isoechoic, smooth margin K-TIRADS 3)

US-Based Risk Stratification and the Revised 2021 Korean Thyroid Imaging Reporting and Data System (K-TIRADS)

K-TIRADS는 결절의 구성성분(composition), 에코강도(echogenicity), 악성의심소견(microcalcification, irregular margin, non-parallel orientation) 등을 고려하여 악성위험도를 예측하는 시스템이다. 갑상선 결절은 악성위험도와 초음파 소견에 따라 높은 의심[high suspicion (K-TIRADS 5)], 중간 의심[intermediate suspicion (K-TIRADS 4)], 낮은 의심[low suspicion (K-TIRADS 3)] 및 양성(K-TIRADS 2) 범주로 분류한다. K-TIRADS 1은 갑상선에 결절이 없음을 나타낸다(표 3-1, 그림 3-23).

● 표 3-1. US Pattern and Malignancy Risk of Thyroid Nodules and Biopsy Size Thresholds in the 2021 K-TIRADS

Category	US Patterns	Suggested Malignancy Risk (%)	Nodule Size Threshold for Biopsy
High suspicion (K-TIRADS 5)	Solid hypoechoic nodule with any of the three suspicious US features (punctate echogenic foci, nonparallel orientation, and irregular margins)	> 60	> 1.0 cm
Intermediate suspicion (K-TIRADS 4)	1) Solid hypoechoic nodules without any of the three suspicious US features or 2) Partially cystic or iso-/hyperechoic nodule with any of the three suspicious US features 3) Entirely calcified nodules	10–40	> 1.0–1.5 cm
Low suspicion (K-TIRADS 3)	Partially cystic or iso-/hyperechoic nodule without any of the three suspicious US features	3–10	> 2.0 cm
Benign (K-TIRADS 2)	1) Iso-/hyperechoic spongiform 2) Partially cystic nodule with intracystic echogenic foci and comet-tail artifact 3) Pure cyst	< 3	Not indicated
No nodule (K-TIRADS 1)	–	–	–

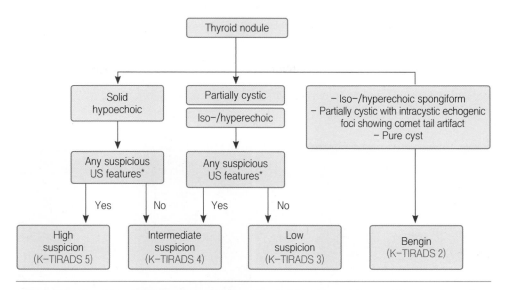

그림 3-23. Algorithm of the 2021 K-TIRADS for malignancy risk stratification based on the nodule composition and echogenicity, and suspicious US features

*Punctate echogenic foci (microcalcifications), nonparallel orientation (taller than wide shape), and irregular margins.

2) 양성결절

(1) 갑상선 낭(thyroid cyst) (그림 3-24)

갑상선 낭은 갑상선 초음파 시 흔히 관찰할 수 있다. 실제로 낭 내부가 상피세포로 둘러싸인 진성낭종(true cyst)은 드물고 대부분 결절과다형성이나 여포선종의 일부가 액화변성으로 발생한다. 낭 내부는 무에코이며 comet-tail-artifact를 흔히 동반한다. 악성가능성은 거의 없다.[8]

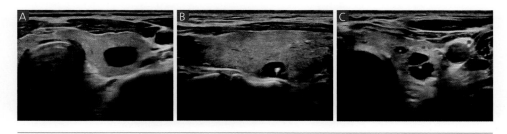

그림 3-24. 다양한 형태의 갑상선 낭, 흔히 comet tail artifact가 관찰됨(B, C)

(2) 결절과다형성(nodular hyperplasia) (그림 3-25)

갑상선 세포가 과형성되어 결절로 변하는 질환으로 선종양결절(adenomatous nodule)이라고도 한다. 결절성 갑상선 질환의 가장 흔한 형태로 약 80%가 여기에 해당한다. 변성의 형태에 따라 낭이나 석회화를 동반하기 때문에 흔히 혼합 병변으로 나타난다.

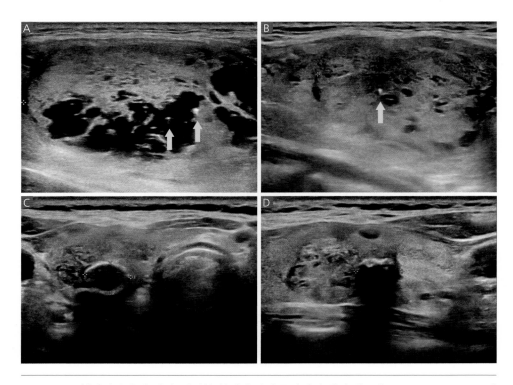

그림 3-25. 형성의 초음파 사진, 다양한 형태의 낭이 동반되어 결절 내부에 comet-tail artifact가 관찰되거나(A, B), 다양한 형태의 석회화가 동반되기도 함(C, D)

(3) 여포 선종(follicular adenoma) (그림 3-26)

결절정 갑상선 질환의 5-10%를 차지하며 결절 내부가 균일하고 피막에 쌓여 있으며 단일 결절인 경우가 대부분이다. 악성여부를 판단하기 위해서는 조직학적으로 피막이나 혈관침범을 확인해야 하므로 세침검사나 중심생검으로는 진단에 한계가 있다.

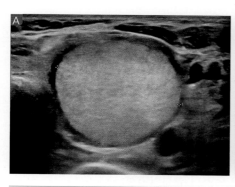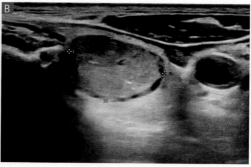

그림 3-26. 여포선종, 대개 등에코, 또는 저에코의 균일한 고형의 결절이 대부분이다.
isocheoic (A), mild hypoechoic (B)

3) 악성결절

초음파검사에서 갑상선 악성결절을 의심하는 소견은 앞서 K-TIRADS에 소개된 내용을 먼저 숙지할 필요가 있다. 이때 초음파검사에서 악성결절을 의심하는 소견은 갑상선 유두암을 의심하는 소견을 말한다. 유두암은 초음파검사로 비교적 쉽게 의심할 수 있으나, 여포암이나 수질암은 초음파검사로 쉽게 의심하기 어렵다. 그렇더라도 갑상선암을 초음파검사로 놓치지 않을까 걱정할 필요는 없다. 갑상선암 검진을 위한 갑상선 초음파검사를 할 때, 갑상선 결절을 갖고 있는 수진자의 경우 갑상선 주변 림프절 소견에 대해 관심을 가지고, K-TIRADS에서 권고하는 기준에 맞추어 세침흡인세포검사 등 추가 검사를 진행하면 된다.

갑상선에 생기는 다양한 악성 종양의 초음파검사 소견을 보면서 각각의 특징과 검사할 때의 유의점에 대해 기술하고자 한다.

(1) 유두암

갑상선 결절이 저에코성의 고형결절이면서, 경계가 삐죽삐죽하거나 불명확한 경우, 미세석회화가 보이는 경우, 특히 가로보다 세로로 긴 형태를 보이는 경우에는 갑상선 유두암을 의심할 수 있다.

(2) 여포암

여포암을 의심하게 하는 특별한 초음파검사 소견은 없고, 대부분의 여포암(최소침습여포암)은 K-TIRADS 기준에 맞게 세침흡인 세포검사를 시행한 결과, 비정형 내지 여포성종양(의심)으로 나와서 수술한 후에 진단된다.

(3) 수질암

수질암은 우리나라에서는 매우 드문 갑상선암인데, 수질암에 딱 맞는 초음파검사 소견은 없다. 메타분석 연구에 의하면, 65%의 수질암은 high suspicion 소견을 보이고, 25%는 intermediate suspicion 소견을 보인다고 한다.[9]

(4) 미분화암

미분화암(역형성암)이나 저분화암은 유두암이나 여포암 같은 분화암이 오래 방치되어 변질된 드문 암종이다. 경계가 불규칙적인 저에코성의 고형 결절이면서, 대체로 크기가 크고 유두암에 비해 공격적으로 보이고 림프절 전이가 동반된 경우가 많다.

(5) 갑상선 경계성 종양

WHO에서 정의하는 갑상선 경계성 종양에는 다음 네 가지가 있다.[10]
- Hyalinizing trabecular tumor (HTT)
- Well differentiated tumor of uncertain malignant potential (WDT-UMP)
- Follicular tumor of uncertain malignant potential (FT-UMP)
- Non-invasive follicular tumor with papillary like nuclear feature (NIFTP)

초음파검사 소견으로 구분할 수 없는데, 유두암보다는 여포성 종양 의심 소견과 유사한 경우가 많다. 진단적 갑상선엽 절제술 후에 진단된다.

(6) 갑상선암의 림프절 전이

갑상선암이 림프절로 전이되면 초기에는 정상 모양의 저에코성 림프절 내부에 고에코성의 미세한 결절 모양으로 암 덩어리가 형성되는 것을 관찰할 수 있다. 고형의 림프절 전이는 암의 종류에 관계없이 유사한 초음파 소견을 보인다. 가장 흔한 유두암은 특징적으로 낭성 변화를 잘 일으키는데, 고형 부분이 거의 보이지 않고 림프절 내부에 낭종만 보이는 경우도 흔하다. 이런 경우 림프절 내에 암세포 숫자가 적어, 림프절 전이 여부에 대한 검사는 세포검사보다 갑상글로불린 검사(thyroglobulin washout test)가 훨씬 민감하고 정확하다.

(7) 갑상선결절의 세포검사 또는 중심생검 후 합병증

세포검사에서는 매우 드문데, 가장 중요한 합병증은 출혈이다. 출혈이 생겼을 때 혈액이 고여 낭종처럼 보일 수도 있지만, 갑상선이 전반적으로 붓는 경우에는 출혈 소견을 잘 인지하기 어려울 수 있다. 출혈이 생기면 검사 부위를 중심으로 갑상선이 붓고 통증이 생기고 숨쉬기 힘든 증상이 생기게 된다. 출혈이 의심되면 맨손으로 강하게 압박하는 것이 가장 중요하고 냉찜질이 도움이 될 수 있다.

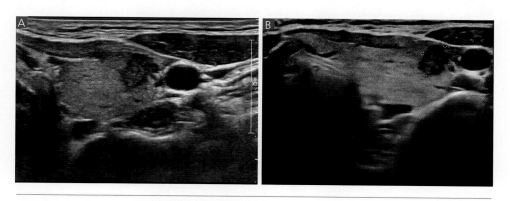

그림 3-27. 갑상선 유두암의 전형적인 초음파 소견. 고형의 저에코성 결절이면서, 경계가 삐죽삐죽하게 튀어나와 있고, 미세석회화가 있고 세로로 긴 형태를 보인다. 좌우 사진(A, B)은 같은 환자에서 다른 초음파검사 장비로 찍은 것으로, 초음파 소견은 기계마다 또 기계 세팅에 따라 차이가 꽤 있는데 검사자는 자신이 사용하는 기계의 결과물에 익숙해질 필요가 있다.

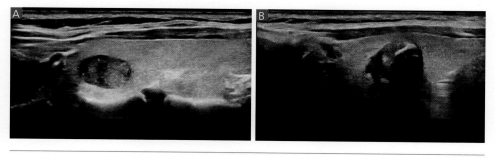

그림 3-28. 다양한 모양의 갑상선 유두암(1). A: 상대적으로 부드러운 경계를 가진 저에코성 고형결절로 미세석회화가 관찰된다. B: 부분적으로 뾰족한 경계를 보이는 저에코성 고형결절인데 거대석회화가 관찰된다. A, B는 다른 환자이고 모두 수술로 갑상선 유두암이 확진되었다.

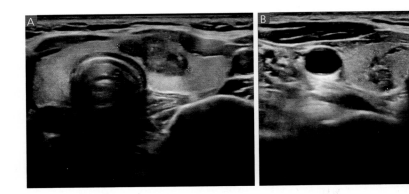

그림 3-29. 다양한 모양의 갑상선 유두암(2). A, B: 모두 불분명한 경계를 보이는 저에코성 고형 결절이고 미세석회화가 보인다. A, B는 다른 환자이고 모두 수술로 갑상선 유두암이 확진되었다.

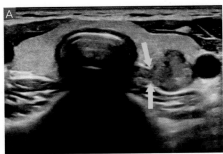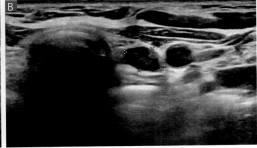

그림 3-30. 식도 침범이 의심되는 전이성 갑상선 유두암. 좌측 갑상선 후면에 있는 결절이 갑상선 유두암 의심 소견이면서 식도에 2-3 mm 정도 붙어 있는 소견(A, 노란 화살표)을 보이는데, 수술 로 식도 침범이 확인되었다. 갑상선 초음파검사를 할 때, 암 의심 결절이 있으면 주변 림프절 상태 에 대해 검사를 해야 하는데, 이 환자의 경우 level VI에 낭성 변화(B)를 보이는 유두암 림프절 전 이 소견을 확인할 수 있다.

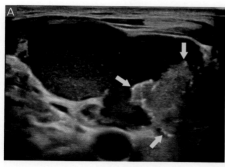
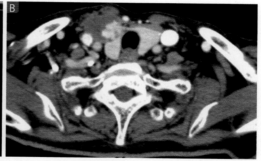

그림 3-31. 낭성 결절 형태를 보이는 갑상선 유두암. A: Low suspicion으로 분류하는 predomi-nantly cystic nodule이라도 갑상선 유두암일 수 있음을 보여 주는 증례인데, 낭종 내부에 있는 고형 결절의 모양에 유의할 필요가 있다. 이런 증례에서 세침흡인 세포검사를 할 때는 내부에 있는 고형 결절(화살표로 표시된 부위)에서 세포를 채취해야 한다. B: 같은 환자의 CT 소견으로, 우측 갑상선에서 돌출되어 있는 낭종 내부의 고형 결절을 관찰할 수 있다.

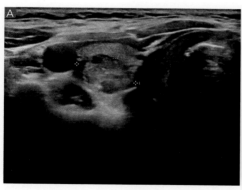
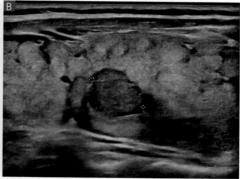

그림 3-32. 다양한 형태의 여포성 변이 유두암(1). 두 증례 모두 세포검사에서 양성결절(카테고리 II)로 나왔으나, A는 반대편에 광범위 림프절 전이를 동반한 유두암으로, B는 갑상선기능저하증을 동반한 거대 갑상선종으로 갑상선 전절제 수술 후 여포성 변이 유두암으로 진단되었다.

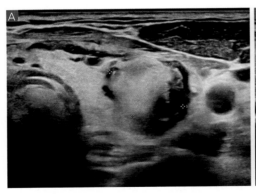
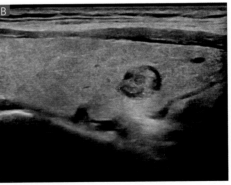

그림 3-33. 다양한 형태의 여포성 변이 유두암(2). A: 세포검사에서 비정형결절로, 중심생검에서도 비정형(카테고리 IIIB)로 나와서 수술했고 여포성 변이 유두암으로 진단되었다. B: 초음파검사 소견상 전형적인 high suspicion은 아닌데, 세포검사에서 유두암 의심(카테고리 V)으로 나와서 수술후 여포성 변이 유두암으로 진단되었다.

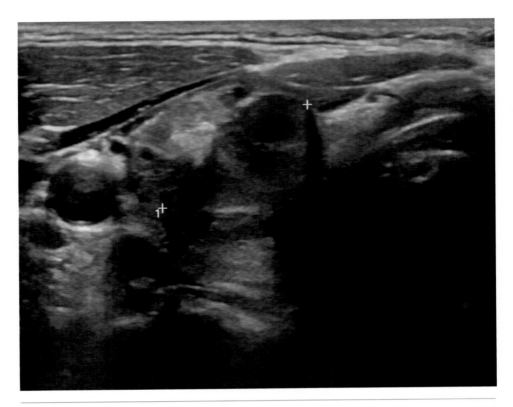

그림 3-34. 광범위 침습 여포암. 세포검사에서 유두암 의심(카테고리 V)이었고, 수술 후 광범위 침습 여포암으로 진단되었다.

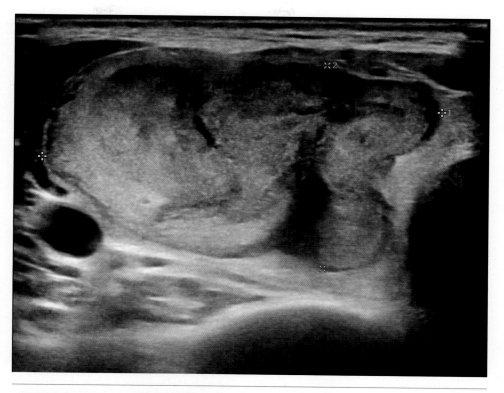

그림 3-35. 혈관 침습 여포암. 세포검사에서 처음에 양성, 이후 비정형으로 나왔고, 수술후 조직검사에서 피막침범 없는 혈관 침습 여포암으로 진단되었다.

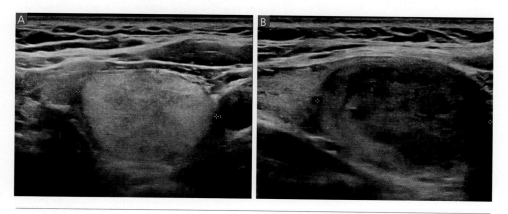

그림 3-36. 다양한 형태의 미세침습 여포암(1). A: 전형적인 등에코성 low suspicion 결절로 세포검사에서는 유두암 의심, 중심생검에서는 여포성 종양 의심이었다. B: 세포검사에서 여포성 종양으로 나와 수술후 여포암으로 진단되었다.

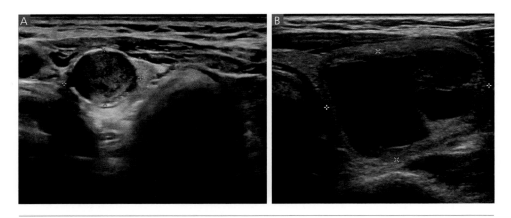

그림 3-37. 다양한 형태의 미세침습 여포암(2). A: 부분적으로 고에코성의 막으로 둘러싸인 것처럼 보이는 저에코성 고형 결절로 유두암을 의심할 수 있는 소견이었는데, 세포검사로는 여포성 종양이었고 수술 후 조직검사에서는 여포암이었다. B: Predominantly cystic nodule인데, 중심생검에서 여포성 종양으로 나왔고 수술로 여포암 진단을 받았다. 낭성 결절에 대해 세포검사나 중심생검을 할 때는 고형 부분을 잘 targeting 하는 것이 매우 중요하다.

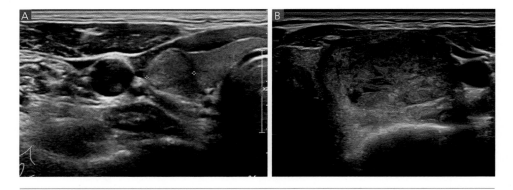

그림 3-38. 미세침습 허들세포암종. A: 세포검사에서는 양성 결절이었는데, 같은 엽에 있는 유두암 때문에 수술로 제거되는 바람에 우연히 진단된 허들세포암종이다. B: 등에코 내지 저에코의 low suspicion nodule인데, 세포검사에서 여포성 종양 의심으로 수술후 허들세포암종으로 진단되었다.

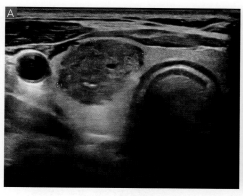
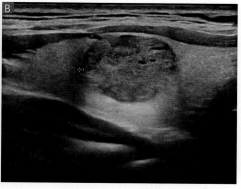

그림 3-39. 갑상선 수질암의 초음파검사 소견(A, B는 같은 환자의 가로 및 세로 사진). 저에코성의 고형결절이고 경계가 불명확한 부분이 보인다. 미세석회화는 뚜렷하지 않고 comet tail처럼 보이는 부위가 있어, 초음파검사상 high suspicion 또는 intermediate suspicion으로 판단할 수 있다. 이 환자는 건강검진에서 CEA 상승의 원인을 찾다가 갑상선결절을 발견한 사례인데, 수질암에서 CEA가 상승할 수 있는데 칼시토닌이 더 특이적으로 상승한다.

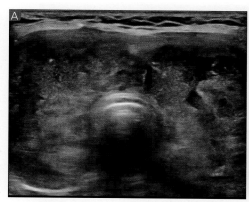
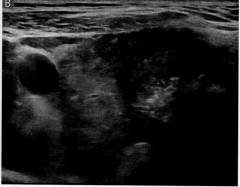

그림 3-40. 갑상선 역형성암. A: 세포검사에서 비정형으로 나왔고, 수술후 혈관육종형 역형성암으로 진단되었다. B: 다른 환자로, 세포검사에서 카테고리 VI, 수질암 의심(혈액 칼시토닌은 정상)이었고, 수술후 역형성암으로 진단되었다.

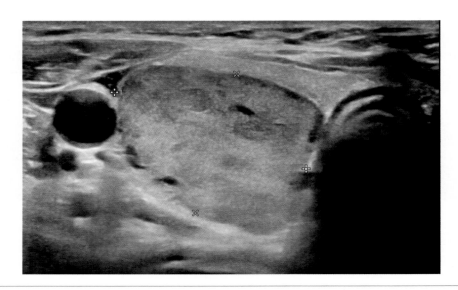

그림 3-41. 갑상선 경계성 종양 중 FT-UMP. 세포검사에서 양성이었는데, 4년 사이 지름이 2배로 증가하여 수술 권하였고, 수술후 FT-UMP 진단받았다.

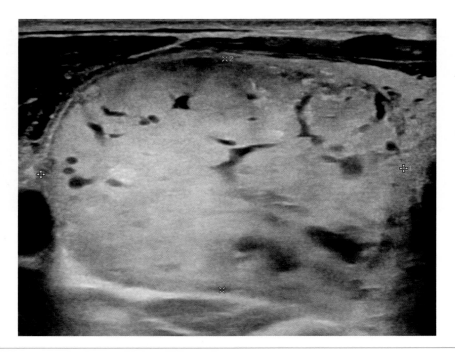

그림 3-42. 갑상선 경계성 종양 중 HTT. 7 cm의 큰 결절로 진단 및 치료 목적의 갑상선엽절제술 후 HTT로 진단받았다.

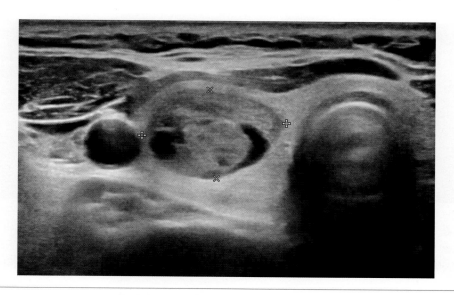

그림 3-43. 갑상선 경계성 종양 중 NIFTP. 세포검사에서 비정형으로 나와 진단 목적의 갑상선엽절제술 후 NIFTP로 진단받았다.

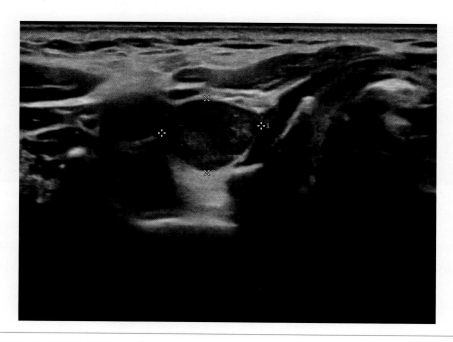

그림 3-44. 갑상선 경계성 종양 중 WDT-UMP. 세포검사에서 양성으로 나와 관찰하였는데, 크기 커지고 다시 시행한 세포검사에서 비정형으로 나와 진단 목적의 갑상선엽절제술 후 WDT-UMP로 진단받았다. 초음파검사 소견으로는 intermediate suspicion에 해당한다.

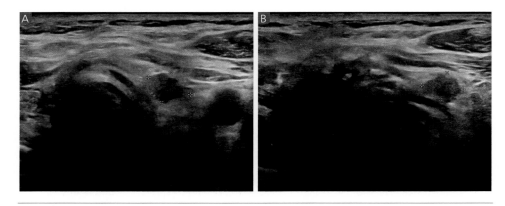

그림 3-45. 갑상선 유두암의 림프절 전이(A, B는 같은 환자에서 가로 및 세로 사진). 림프절의 에코는 비교적 저에코성이지만, hilum이 소실되어 있고 표면이 매끈하지 않고 거칠다. 수술후 조직검사에서 유두암의 림프절 전이가 확인되었고 림프절외 침범(extranodal extension)이 있었다.

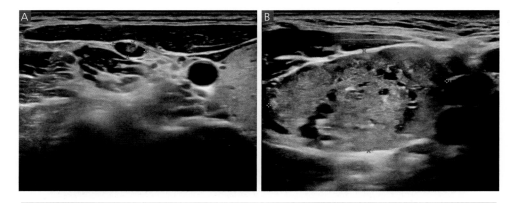

그림 3-46. 갑상선 유두암의 림프절 전이. A: 저에코성의 림프절 실질 내에 고에코성의 결절이 보이는 초기 전이 소견이다. B: 다른 환자에서 정상 림프절 구조가 전혀 보이지 않고 림프절 전체가 유두암 전이 세포로 가득 차고 커진 소견이다. 갑상선암의 림프절 전이가 의심될 때는 세포검사와 더불어 갑상글로불린 검사(thyroglobulin washout)를 같이 시행해야 한다.

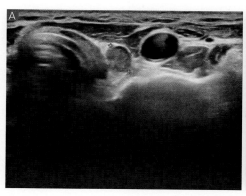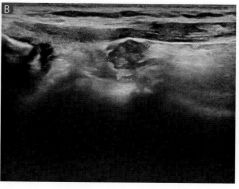

그림 3-47. 여포암의 림프절 전이(A, B는 같은 림프절의 가로 및 세로 사진). 25년 전 갑상선결절 수술후 여포선종으로 진단받았는데, 16년 전 경부림프절 이상 소견 있어 수술했고, 여포암의 다발 성 림프절 전이로 진단받았다. 사진은 방사성요오드치료 3회 시행후 추적관찰 중 중심경부림프절 에서 발견된 이상 소견(고에코, 불규칙한 경계, 미세석회화)으로, 환자 정보 없이 의뢰된 세포검사 에서는 유두암의 림프절 전이로 나왔고, 수술후 조직검사에서는 여포암 전이로 나왔다. 초음파 소 견으로는 유두암 전이와 차이가 없다.

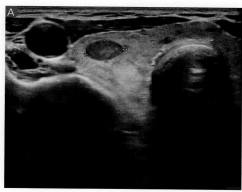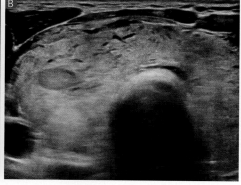

그림 3-48. 세침흡인 세포검사 후 출혈 소견. 세포검사 직전(A), 세포검사 1시간 후(B). 세포검사 후 30분 경과했을 때 환자가 압박감과 숨차는 증상이 생겨 다시 내원했다. 강력한 맨손 압박과 냉 찜질로 1시간 만에 증상은 소실되었다. 세포검사 결과는 비정형이었고, 추적관찰 후 시행한 수술 에서 NIFTP 진단받았다. 세포검사 후 출혈은 혈종이 없이 전반적인 갑상선 부종 형태로도 올 수 있다.

Tips & Pearls

Basic
- 갑상선 유두암을 의심하는 중요 소견: 저에코성 고형결절이면서 경계가 거칠거나 불명확한 경우, 미세석회화가 보이는 경우, 특히 가로보다 세로로 긴 형태를 보이는 경우

Advanced
- 암 의심 결절이 있는 경우에는 중심경부 및 측경부 림프절에 대한 초음파검사가 필요하다.

참고문헌

1. Ha EJ, Chung SR, Na DG, et al. 2021 Korean thyroid imaging reporting and data system and imaging-based management of thyroid nodules: Korean society of thyroid radiology consensus statement and recommendations. Korean J Radiol 2021;22:2094-123.

2. Grant EG, Tessler FN, Hoang JK, et al. Thyroid ultrasound reporting lexicon: white paper of the ACR thyroid imaging, reporting and data system (TIRADS) committee. J Am Coll Radiol 2015;12:1272-9.

3. Russ G, Bonnema SJ, Erdogan MF, et al. European thyroid association guidelines for ultrasound malignancy risk stratification of thyroid nodules in adults: the EU-TIRADS. Eur Thyroid J 2017;6:225-37.

4. Shin JH, Baek JH, Chung J, et al. Ultrasonography diagnosis and imaging-based management of thyroid nodules: revised Korean society of thyroid radiology consensus statement and recommendations. Korean J Radiol 2016;17:370-95.

5. Seo H, Na DG, Kim JH, et al. Ultrasound-based risk stratification for malignancy in thyroid nodules: a four-tier categorization system. Eur Radiol 2015;25:2153-62.

6. Shin HS, Na DG, Paik W, et al. Malignancy risk stratification of thyroid nodules with macrocalcification and rim calcification based on ultrasound patterns. Korean J Radiol 2021;22:663-71.

7. Chammas MC, Gerhard R, de Oliveira IR, et al. Thyroid nodules: evaluation with power Doppler and duplex Doppler ultrasound. Otolaryngology Head Neck Surg 2005;132:874-82.

8. Rho MH, Kim DW. Long-term ultrasonography follow-up of thyroid colloid cysts at the health center: a single-center study. Int J Endocrinol 2015;2015:324581.

9. Ferrarazzo G, Camponovo C, Deandrea M, et al. Suboptimal accuracy of ultrasound and ultrasound-based risk stratification systems in detecting medullary thyroid carcinoma should not be overlooked. Findings from a systematic review with meta-analysis. Clin Endocrinol (Oxf) 2022;97:532-40.

10. Chung KW, Song DE. Borderline thyroid tumors: a surgeon's perspectives. Int J Thyroidol 2019;12:15-8.

3

미만성 갑상선 질환

1) 그레이브스병

그레이브스병은 갑상선 항진증의 가장 흔한 원인으로 갑상선자극호르몬 수용체에 대한 자극성 항체(TSHR-Ab)에 의해 발생하는 자가면역 질환이다. 그레이브스병의 진단에 있어 초음파검사가 필수적이지는 않지만, TSHR-Ab 분석을 이용할 수 없거나 TSHR-Ab 음성인 케이스에서 갑상선 중독증을 일으키는 다른 원인과의 감별에 이용할 수 있고,[1,2] 치료를 시작하기 전 선별 초음파 검사로 갑상선의 크기, 용적, 결절 유무 등에 관한 정보를 얻을 수 있다.[3]

(1) 그레이브스병의 초음파소견

그레이브스병은 갑상선종대와 실질내 콜로이드의 감소, 림프구 침윤, 세포과다로 인해 비균질적 저에코가 미만성으로 나타나며 혈류증가가 특징이다.[4,5] 갑상실질의 저에코성은 TSHR-Ab 양성빈도와 연관성이 있으며, 항갑상선제 중단 시 지속되는 저에코성은 갑상선 항진증의 재발을 시사한다.[6-9]

현저히 증가된 갑상선혈류는 치료받지 않은 그레이브스병의 특징으로, 색도플러상에서 미만성으로 균일적으로 현저하게 증가된 도플러신호로 나타나는데 마치 불길이 타오르는 형상을 보인다 하여 화염상 "thyroid inferno"라고 한다. 이는 동정맥션트(arteriovenous shunt) 내의 와류(turbulent flow)에 의해 나타나는 패턴이다.[10,11]

혈류의 양은 갑상선기능과 연관성을 가지지 않지만 갑상선염의 활성도를 반영하기 때문에 치료에 반응하면 혈류가 감소되고, 재발 시 증가하는 특징을 가지고 있다.[6] 초음파검사의 혈류분포 정도와 저에코 양상의 차이가 아급성 갑상선염과의 감별에 이용된다.[6,12]

그레이브스병 환자에서 갑상선암의 빈도가 높다는 연구보고가 있어 결절동반여부 확인이 필요하다.[7,8,13]

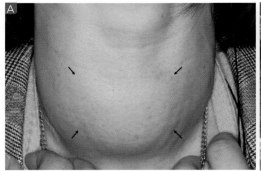
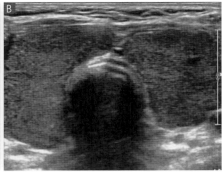

그림 3-49. 그레이브스병 환자의 미만성 갑상선종대. A: 그레이브스병 환자에서 미만성 갑상선종대로 인한 전경부 돌출이 보인다. B: 횡단면 스캔에서 대칭적 미만성 갑상선종대와 아울러 협부의 종대도 함께 관찰된다. 특징적으로 둥근 윤곽선이 보이고, 현저한 저에코성의 갑상실질이 보인다.

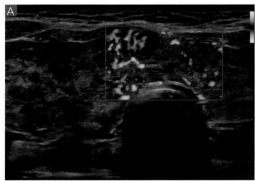
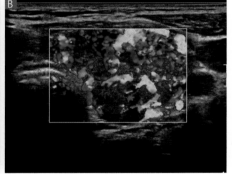

그림 3-50. 그레이브스병의 초음파 소견. A: 갑상실질의 미만성 종대소견과 불균일한 저에코의 미세 결절구조가 보인다. B: 색도플러에서 미만성의 현저히 증가된 혈관분포 패턴인 thyroid inferno가 보인다.

Tips & Pearls

Basic
- 그레이브스병은 갑상선종대와 실질내 비균질적 저에코가 미만성으로 나타나며 미만성 혈류증가가 특징이다.

Advanced
- 현저히 증가된 갑상선혈류는 마치 불길이 타오르는 형상인 화염상 "thyroid inferno"를 보인다.
- 혈류의 양은 갑상선염의 활성도를 반영하기 때문에 치료에 대한 반응이 있으면 혈류가 감소되고, 재발 시 증가하는 특징을 가지고 있다.
- 그레이브스병 환자에서 갑상선암의 빈도가 높은 경향이 있어 결절동반여부 확인이 필요하다.
- 초음파검사는 그레이브스병과 아급성갑상선염과의 감별에 유용하다.

2) 하시모토갑상선염

하시모토갑상선염은 만성림프구갑상선염(chronic lymphocytic thyroiditis)이라고도 불리는 자가면역질환으로, 림프구의 침투와 섬유화를 특징으로 한다. 하시모토갑상선염은 급성기, 만성기, 위축기의 진행시기와 중증도에 따라 다양한 임상소견을 나타내고 초음파소견 또한 이를 반영한다. 대개 갑상선실질이 단단해지고 급성기에서 만성기로 진행하면서 크기 증가를 보이며 위축기에는 크기가 감소한다.[6] 결절을 형성하는 경우 초음파검사를 이용한 감시와 경우에 따라 세침조직검사가 요구된다. 이는 하시모토갑상선염에서 비호지킨 림프종과 유두갑상선암의 발생률이 높은 경향이 있기 때문이다.[3,14] 특히 급격한 갑상선 크기 증대가 있는 경우 악성종양 발생을 의심하여야 한다. 갑상선 주변 림프절의 발달 또한 하시모토갑상선염의 특징이지만 악성 종양의 림프절 전이 가능성도 염두에 두어야 한다.[6-8]

(1) 하시모토갑상선염의 초음파소견

갑상선 크기는 정상인 경우도 있지만 대개 비대되어 있으며, 갑상선 실질은 불균일한 저에코성 미세결절구조가 미만성으로 분포하고 사이사이에 밝은 고에코의 섬유 중격들로 인해 소엽성 경계를 이루는게 특징이다. 여러 개의 작은 저에코성 미세결절들이 모여 있는 주위에 고에코의 섬유중격이 둘러싸고 있는 경우 갑상선 결절 혹은 종양으로 오인되기도 하는데 이를 거짓결절 혹은 거짓종양(pseudonodule, pseudotumor)이라 한다.[8,15] 색도플러검사에서 실질내 혈류증가가 보이는 경우가 있지만 그레이브스병만큼 저명하지는 않다. 갑상선기능저하증이 동반되면 TSH의 상승효과에 의해 갑상선 실질내 혈류증가가 나타나며 갑상선기능저하증이 호전되면 혈류도 함께 감소한다.[6] 특징적으로 갑상선 주변 림프절이 관찰되는 경우가 많은데,

특히 협부 주위에서 확인되는 델피안(delphian) 림프절이 특징적이다.[3,16] 하시모토갑상선염의 위축성 변화가 일어나는 위축기에는 갑상선 용적의 감소와 함께 거친 복합에코(저에코성의 실질과 고에코 섬유화) 구조를 나타낸다.[17]

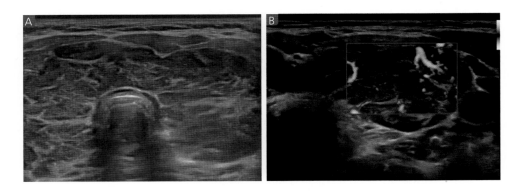

그림 3-51. 하시모토갑상선염의 초음파소견. A: 갑상선 종대가 있으며, 소엽성 경계를 나타낸다. 실질 전체에 나타나는 미만성, 비균일성, 저에코성의 미세결절 패턴과, 두꺼운 고에코성의 섬유성 중격이 특징적 소견이다. B: 실질내 약간 증가한 혈관분포패턴을 보여준다.

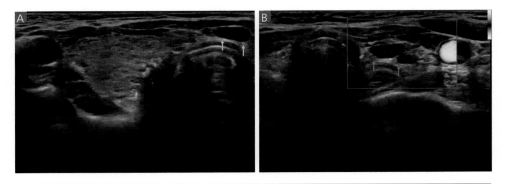

그림 3-52. 하시모토갑상선염과 갑상선 주변 림프절 비대. A: 갑상선내 불균일한 저에코의 미세결절 구조와 사이사이 얇은 섬유성 중격이 있으며 갑상선 협부 주변에 델피안(delphian) 림프절 비대(노란 화살표)가 있다. B: 갑상선 좌엽 하극의 level VI에도 다발성 림프절 비대(빨간 화살표)가 있다.

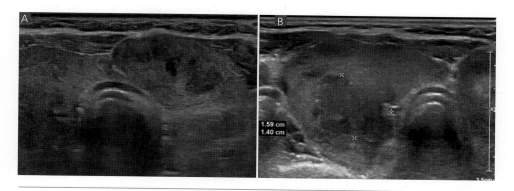

그림 3-53. 하시모토갑상선염의 국소침범소견. A: 갑상선 테두리에 분엽성 경계(lobulated margin)가 보여진다. B: 갑상선 실질의 배경(background)에 비해 부분적으로 저에코성의 결절성 구조가 두드러지는 거짓종양(pseudotumor)이 보여 악성 결절이나 림프종과 구별하기 위해 조직검사를 시행하였고, 하시모토 갑상선염으로 진단되었다.

Tips & Pearls

Basic
- 하시모토갑상선염은 갑상선 크기가 경도 내지 중등도 증대되어 있고 단단하며 실질내 미만성 저에코성 미세결절구조와 섬유성 중격이 특징이며 갑상선 주변 림프절의 종대가 비교적 흔하다.

Advanced
- 국소적으로 여러 개의 저에코성 미세결절이 모여있는 경우 종양으로 오인(거짓종양, pseudotumor)될 수 있다.
- 림프종과 갑상선암의 동반이 의심되는 경우는 세침조직검사가 고려되어야 한다.

3) 아급성갑상선염

아급성갑상선염은 드퀘방갑상선염(de Quervain's thyroiditis) 혹은 아급성 육아종갑상선염 또는 아급성 비화농성 갑상선염이라고도 불리는 자가 치유의(self-limited), 비화농성 염증성 질환이다.[6,17]

40-50대에 호발하며 상기도 감염 이후 잘 발생한다.[3] 미열을 동반한 감기증상(flu-like symptom)이 나타나고, 전형적으로 갑상선이 부어오르며 통증과 압통을 호소한다. 보통 한쪽 엽에서 시작하나 반대쪽까지 이어지는 경우가 많다. 진단검사상 C-반응단백질(C-reactive protein, CRP)과 적혈구침강속도(erythrocytesedimentation rate, ESR)가 증가하고, 갑상선 여포의 파괴로 갑상선글로불린(thyroglobulin)이 증가한다.[3] 약 50%의 환자에서 갑상선중독증이 발생하고

5-10% 환자에서 지속적 갑상선저하증이 발생한다. 대부분 스테로이드 치료에 완전 회복을 보이나, 약 1-2%에서 재발하기도 한다.[6,7]

초음파소견만으로는 자칫 다른 염증성 갑상선질환이나 악성질환으로 오인될 수 있으나,[18] 전경부의 통증과 압통이 있다면 아급성갑상선염으로 강하게 의심할 수 있다. 따라서 특징적 임상소견과 진단검사소견을 잘 숙지하고 초음파 검사 시 탐촉자로 압박될 때 압통을 호소하는지 유의한다면, 불필요한 조직검사 없이 아급성갑상선염으로 진단내릴 수 있다.

(1) 초음파소견

압통 부위와 일치하여 경계가 불분명하고 불균일한 저에코 혹은 무에코 영역이 관찰되고 갑상선의 전체적 부피 또한 약간 증대된다. 치료에 반응이 나타나면 저에코 영역이 감소되는 경향이 있어 본 질환의 경과관찰에 유용성이 있다. 특징적으로 색도플러에서 혈관분포가 거의 없거나 미미하여 그레이브스병과의 감별에 유용하다.[19] 비교적 경계가 명확한 저에코 영역이 결정형으로 보이는 경우에는 악성 결절과 구분이 어려울 수 있다.[3,6] 그러나 아급성갑상선염으로 인한 저에코는 스테로이드 치료 후 회복기에 접어들면 정상 갑상선 소견으로 돌아온다.[6,7,20]

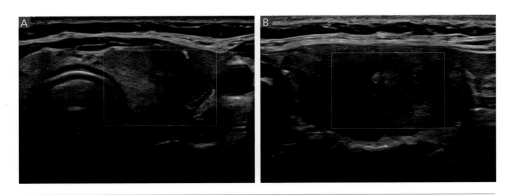

그림 3-54. 아급성갑상선염. 51세 여성 환자로 한 달간 지속된 좌측 갑상선의 편측성 비대와 통증을 호소하였다. 진단검사에서 ESR, CRP 상승이 보였고, 초음파검사 탐촉자(probe)로 좌측 갑상선이 압박될 때 압통을 호소하였다. A와 B 좌엽에 경계가 불분명한 저에코영역이 보이고 도플러에서 혈관분포는 보이지 않았다. 임상양상과 초음파소견으로 아급성갑상선염을 진단할 수 있었다.

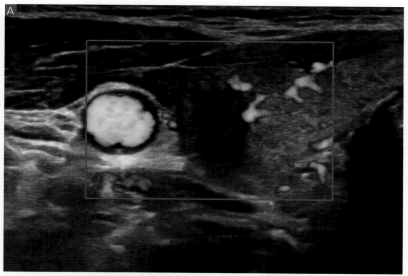

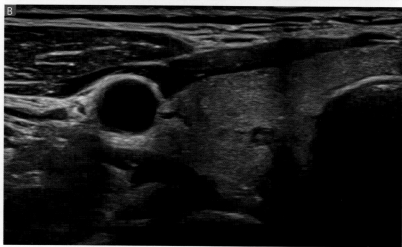

그림 3-55. 악성 결절로 오인될 수 있는 아급성갑상선염. A: 59세 남자 환자로 경부에 통증과 불편감을 호소하였고 초음파검사에서 비교적 부드럽고 밝은 질감의 정상적인 배경 갑상선실질에 대비되는 경계가 불명확한 저에코성의 결절성 병변이 보였다. 우측 결절성 병변의 경우 가로보다 세로가 길고(taller than wide), 삐죽한 침습성 경계를 가져 악성 결절로의 가능성이 있어 조직검사를 시행하였고, 갑상선염으로 진단되었다. 진단검사결과 ESR, CRP 상승과 TSH의 감소가 있었다. B: 8개월 뒤 초음파검사에서 갑상선 구조가 정상화되었다.

Tips & Pearls

Basic

– 아급성갑상선염을 의심하는 중요 소견: 압통 부위와 일치하여 경계가 불분명하고 불균일한 저에코 혹은 무에코 영역이 보이며 혈류가 거의 없는 것이 특징이다.

Advanced

– 초음파 소견과 함께 임상증상과 진단검사결과를 바탕으로 진단해야 한다.
– 질환의 호전에 따라 저에코 영역이 감소하는 경향이 있다.

4) 기타질환

앞서 언급한 자가면역갑상선염이나 아급성갑상선염과 감별이 필요한 미만성 염증 질환으로는 화농성 갑상선염이나 리델(Reidel) 갑상선염 등이 있다.

(1) 급성 화농성 갑상선염(acute suppurative thyroiditis)

갑상선은 혈류와 림프 순환이 풍부하고 피막이 발달한 기관으로 감염에 대한 저항성이 매우 높다. 그러나 이상와 누공(pyriform sinus fistula)과 같은 몇몇 선행요인에 의해 감염에 노출될 경우, 급성 화농성 갑상선염이 발생할 수 있다.[21,22] 대부분 제3 혹은 제4 새궁 기형(branchial cleft anomaly)에 의한 하인두 이상화 누공(pyriform sinus fistula)이 갑상선 주위 혹은 내부로 개구하여 감염을 일으키고 감염이 갑상선으로 파급되어 발생한다.[23] 95%는 좌측에 발생하며[6] 세균성 감염으로 농양을 동반하는 경우도 있고 염증이 진행될 경우 인두 주위 공간이나 후인두 공간으로 퍼지기도 한다. 초음파소견상 염증과 부종에 의해 갑상선 주위에 두꺼운 저에코 영역이 나타나며 갑상선과 주변 조직사이의 근막 공간을 소실시킨다. 또한 갑상선 주위에서 갑상선 내부로 염증의 확대가 확인되고, 농양이 형성되면 두꺼워진 벽을 가진 저에코성의 불규칙한 병변이 나타나며, 내부에 괴사잔해(debris)와 함께 공기형성에 의한 고에코성의 점병변이 확인된다. 드물게 튜브 구조의 이상화 누공이 관찰되기도 한다.[6,24]

(2) 리델 갑상선염(Riedel's thyroiditis)

Riedel 갑상선염은 광범위한 섬유화를 특징으로 하는 극히 드문 질환으로 그 원인에 대해서는 명확히 밝혀진 바가 없다.[21,25] 이환된 갑상선은 무통성의 비대와 나무토막처럼 단단하게 경화되는 만성 경화성 갑상선염의 소견을 보인다.[26] 광범위한 섬유화에 의해 초음파검사상 미만성, 저에코성, 저혈관성을 띤다.[6,27,28] 특징적 소견은 갑상선에서 뻗어나가는 염증소견으로, 경동맥을 둘러싸는 경우가 있다.[29]

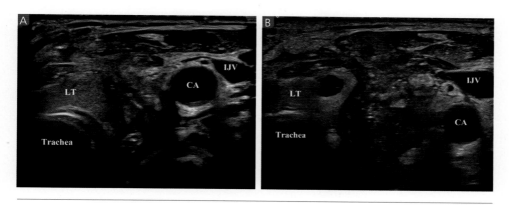

그림 3-56. 급성 화농성 갑상선염의 초음파 소견. A: 갑상선 주위 염증과 부종에 의해 정상적인 근막 공간은 소실되고, 불균일한 저에코 병변이 메꾸고 있다. 일부 갑상선 내로 염증이 확장되는 소견을 확인할 수 있다. B: 동일 환자의 초음파 소견으로, 염증이 진행되어 농양을 형성하였다. 농양 내부에 괴사잔해(debris)와 공기형성에 의한 고에코성의 병변이 확인되어 흡인하여 세균배양검사를 시행하였다.

LT: left, CA: carotid artery, IJV: internal jugular vein

Tips & Pearls

Basic
- 급성 화농성 갑상선염은 갑상선과 갑상선 주변의 염증과 부종, 그리고 농양의 형태로 나타나며 초음파상 정상 구조물을 소실시키는 저에코 병변으로 보인다.
- 리델 갑상선염은 만성 경화성 갑상선염으로 섬유화에 의해 미만성 저에코성 저혈관성을 나타낸다.

Advanced
- 화농성 갑상선염의 경우 새궁기형 동반 유무에 대한 확인이 요구된다.

참고문헌

1. Léger J. Graves' disease in children. Endocr Dev 2014;26:171-82.
2. Goichot B, Leenhardt L, Massart C, et al. Diagnostic procedure in suspected Graves' disease. Ann Endocrinol (Paris) 2018;79:608-17.
3. Halenka M, Fryšák Z. Atlas of thyroid ultrasonography. Springer; 2017.
4. Vita R, Di Bari F, Perelli S, et al. Thyroid vascularization is an important ultrasonographic parameter in untreated Graves' disease patients. J Clin Endocrinol 2019;15:65-9.
5. Rago T, Cantisani V, Ianni F, et al. Thyroid ultrasonography reporting: consensus of Italian Thyroid As-

sociation (AIT), Italian Society of Endocrinology (SIE), Italian Society of Ultrasonography in Medicine and Biology (SIUMB) and Ultrasound Chapter of Italian Society of Medical Radiology (SIRM). J Endocrinol Invest 2018;41:1435-43.

6. Ahuja AT. Diagnostic ultrasound: head and neck. 2nd ed. Elsevier; 2019.

7. Orloff LA. Head and neck ultrasonography: essential and extended applications. 2nd ed. Plural Publishing; 2017.

8. Welkoborsky HJ, Jecker P. Ultrasonography of the head and neck: an imaging atlas. Springer; 2019.

9. Marcocci C, Vitti P, Cetani F, et al. Thyroid ultrasonography helps to identify patients with diffuse lymphocytic thyroiditis who are prone to develop hypothyroidism. J Clin Endocrinol Metab 1991;72:209-13.

10. Ralls P, Mayekawa DS, Lee KP, et al. Color-flow Doppler sonography in Graves disease:" thyroid inferno". AJR Am J Roentgenol 1988;150:781-4.

11. Castagnone D, Rivolta R, Rescalli S, et al. Color Doppler sonography in Graves' disease: value in assessing activity of disease and predicting outcome. AJR Am J Roentgenol 1996;166:203-7.

12. Donkol RH, Nada AM, Boughattas S. Role of color Doppler in differentiation of Graves' disease and thyroiditis in thyrotoxicosis. World J Radiol 2013;5:178-83.

13. Cappelli C, Pirola I, De Martino E, et al. The role of imaging in Graves' disease: a cost-effectiveness analysis. Eur J Radiol 2008;65:99-103.

14. Caleo A, Vigliar E, Vitale M, et al. Cytological diagnosis of thyroid nodules in Hashimoto thyroiditis in elderly patients. BMC Surg 2013;13 Suppl 2:S41.

15. Langer JE, Khan A, Nisenbaum HL, et al. Sonographic appearance of focal thyroiditis. AJR Am J Roentgenol 2001;176:751-4.

16. Pearce EN, Farwell AP, Braverman LE. Thyroiditis. N Engl J Med 2003;348:2646-55.

17. Ahuja NK, Chung KC. Fritz de Quervain, MD (1868–1940): stenosing tendovaginitis at the radial styloid process. J Hand Surg Am 2004;29:1164-70.

18. Frates MC, Marqusee E, Benson CB, et al. Subacute granulomatous (de Quervain) thyroiditis: grayscale and color Doppler sonographic characteristics. J Ultrasound Med 2013;32:505-11.

19. Zacharia TT, Perumpallichira JJ, Sindhwani V, et al. Gray-scale and color Doppler sonographic findings in a case of subacute granulomatous thyroiditis mimicking thyroid carcinoma. J Clin Ultrasound 2002;30:442-4.

20. Omori N, Omori K, Takano K. Association of the ultrasonographic findings of subacute thyroiditis with thyroid pain and laboratory findings. Endocr J 2008;55:583-8.

21. Shrestha RT, Hennessey J, Feingold KR, et al. Acute and subacute, and Riedel's thyroiditis. 2015.

22. Miyauchi A, Matsuzuka F, Kuma K, et al. Piriform sinus fistula: an underlying abnormality common in patients with acute suppurative thyroiditis. World J Surg 1990;14:400-5.

23. Park SW, Han MH, Sung MH, et al. Neck infection associated with pyriform sinus fistula: imaging findings. AJNR Am J Neuroradiol 2000;21:817-22.

24. Ahn D, Lee GJ, Sohn JH. Ultrasonographic characteristics of pyriform sinus fistulas involving the thyroid gland. J Ultrasound Med 2018;37:2631-6.

25. Katsikas D, Shorthouse AJ, Taylor S. Riedel's thyroiditis. Br J Surg 1976;63:929-31.

26. Riedel BM. Die chronische, zur Bildung eisenharter Tumoren fuehrende Entzundung der Schildduese. Verh Dtsch Ges Chir 1896;25:101-5.

27. McIver B, Fatourechi MM, Hay ID, et al. Graves' disease after unilateral Riedel's thyroiditis. J Clin Endo-

crinol Metab 2010;95:2525-6.

28. Annaert M, Thijs M, Sciot R, et al. Riedel's thyroiditis occurring in a multinodular goiter, mimicking thyroid cancer. J Clin Endocrinol Metab 2007;92:2005-6.

29. Slman R, Monpeyssen H, Desarnaud S, et al. Ultrasound, elastography, and fluorodeoxyglucose positron emission tomography/computed tomography imaging in Riedel's thyroiditis: report of two cases. Thyroid 2011;21:799-804.

부갑상선

1) 부갑상선종

부갑상선 질환에 있어 초음파검사는 부갑상선 기능항진증을 일으키는 원인 병변을 국소화 (localization)하고 감별진단 하는 데 이용된다. 일차성 부갑상선 기능항진증을 일으키는 원인 은 단일 부갑상선선종(80-85%), 부갑상선증식증(15%), 다발성 부갑상선선종(2-4%), 부갑상 선 암 혹은 낭종(< 1%)이다.[1,2] 대부분의 경우 상부갑상선이나 하부갑상선에 국한되나, 이소성 부갑상선을 항상 염두에 두어야 한다. 상부갑상선은 갑상선의 위쪽 1/3의 후방에 위치하고 드 물게 인두나 식도의 후방에 위치한다. 하부갑상선의 65%는 갑상선 하극의 외측에 존재하고, 35%의 경우 흉선인두관을 따라 다양하게 위치한다. 또한 드물게 2-5%의 경우 갑상선 내에 (intrathyroidal) 존재하는 경우도 있다.[3,4]

(1) 부갑상선종의 초음파 소견

부갑상선 초음파검사의 송신주파수(transmitted frequency)는 일반적으로 10-12 MHz이 적 절한데, 주파수를 8-10 MHz로 낮추어 투과 깊이를 증가시키면 인두나 식도 후방의 깊은 부위 의 해상력을 높일 수 있다.[5]

갑상선에 비해 저에코의 원형 혹은 타원형 종괴로 나타나며 명확하고 밝은 고에코의 얇은 캡슐로 주변과의 경계가 뚜렷하다.[6] 다만 약 15-20%의 예에서 갑상선과 동일한 정도의 에코 수준을 나타내거나 낭성 변성과 석회화를 동반하는 경우를 볼 수 있다.[3] 전자는 섬유화와 지방 변성 등에 의하며 후자는 종양내 출혈이나 병변 증대에 수반하는 퇴행변성에 의한다고 여겨지 고 있다. 색도플러상에서는 실질내 고혈류와 부갑상선의 영양동맥(feeding artery) 연결부위에 서의 고혈류(극상 고혈류, polar hypervascularity)의 특징이 나타나며, 이는 림프선과의 감별에 도 유용하다.[3,5] 초음파검사는 부갑상선종 탐지에 60-87%의 민감도와 40-100%의 특이도가 보 고되고 있다. 병변이 후방으로 깊게 위치하거나 기관과 식도 등 주변 구조물에 의한 감쇄가 발 생할 경우, 이소성 부갑상선종, 갑상선내(intrathyroidal) 부갑상선종, 250 mg 이하의 작은 병 변, 환자가 비만인 경우에는 초음파검사의 민감도가 줄어든다. 이런 경우 CT, MRI, Tc-99m sestamibi scintigraphy 등 추가검사로 도움을 받을 수 있는데, 이 중 scintigraphy가 민감도 80-

90%, 특이도 83-100%로 부갑상선종 발견율이 높은 scintigraphy와 초음파검사를 함께 시행하면 민감도 97%, 특이도 100%로 병변 국소화율을 높일 수 있어 주된 진단방법으로 사용되고 있다.[3,7-10] 최근에 소개된 4D CT (four-dimensional computed tomography)는 초음파검사나 scintigraphy와 유사하거나 조금 더 높은 민감도와 특이도가 보고되고 있고 특히나 다발성 부갑상선종, 이소성(ectopic) 부갑상선 조직에 대한 국소화율이 기존의 검사보다 우수한 결과를 나타내고 있다.[12]

초음파검사상 부갑상선종의 여부가 불명확한 경우, 세침흡인 및 부갑상선 호르몬 세척검사 (parathyroid hormone wash out)를 통한 검증으로 부갑상선종 탐지에 대한 민감도가 95%까지 상승한다.[11] 특히 재수술이거나 다른 영상검사결과와 불일치(discordant imaging)를 보이는 경우, 갑상선결절이나 비후된 갑상선 주변 림프절이 부갑상선종으로 오인되는 경우에 유용하다. 흡인액에서 측정된 부갑상선 호르몬은 혈청 농도에 비해 현저히 높게 측정이 되고 종종 정상 검사치의 상한선을 웃도는 경우가 있다.

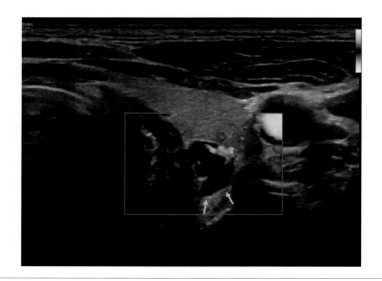

그림 3-57. 부갑상선종의 전형적인 초음파 소견. 좌측 갑상선 상부 후방에 고에코의 얇은 캡슐을 가진 경계가 명확한 저에코성의 종괴(노란 화살표)가 나타나고, 색도플러에서 종괴내부에 극성 공급혈관(polar feeding vessel)이 보인다(빨간화살표). 좌측 상부갑상선 절제술 결과 조직검사에서 부갑상선종으로 진단되었다.

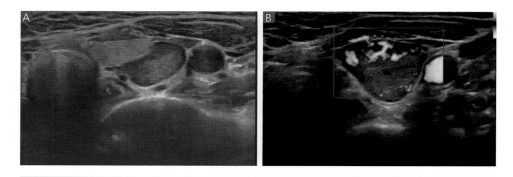

그림 3-58. 좌측 하부갑상선종의 초음파 소견. A: 좌측 갑상선하극의 외측에 경계가 명확한 저에코성 결절이 보이고, B: 색도플러상에서 증가된 다발성 결절내 혈관분포를 나타낸다.

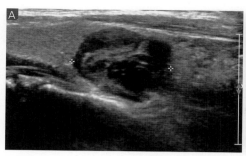
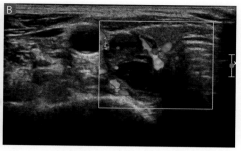

그림 3-59. 낭성 변성을 동반한 부갑상선종. 일차성 부갑상선항진증으로 부갑상선절제술을 위해 내원한 환자로, A: 우측 갑상선 하극에 낭성 부분을 동반한 저에코성 결절이 보인다. 낭성부분에서 흡인을 시행해 부갑상선 호르몬 수치를 확인한 결과 3,600 pg/mL로 정상 상한치를 현저히 넘어섰다. B: 색도플러상 극성 공급혈관이 보인다. 수술 후 최종 조직검사 결과 부갑상선종으로 진단되었다.

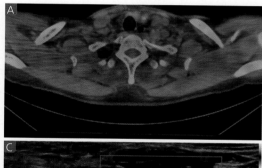
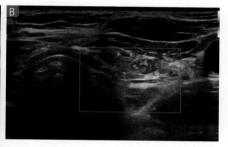
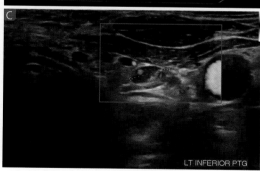

그림 3-60. 부갑상선종의 국소화를 위한 영상검사의 복합 이용. 부갑상선 병변의 크기가 작고 동반된 다발성 갑상선 결절로 인해 초음파를 이용한 국소화가 어려워, 부갑상선 스캔을 함께 시행하였다. 일차검사로 초음파를 시행하였으나 다발성 갑상선 결절이 부갑상선종과 혼돈되어 병변 국소화에 어려움이 있었으나, 부갑상선스캔결과를 통해 위치(좌우, 상하) 정보를 파악할 수 있었다. A: Tc-99m MIBI SPECT 이미지로 좌측 하부갑상선에서 섭취 증가를 보인다. B, C: 동일 환자의 초음파검사로 좌측 갑상선 하부에 인접한 0.6 cm 크기의 저에코성 병변이 보이며, 색도플러상 극성 공급혈관과 함께 과혈관분포를 보인다. 결과를 종합하여 좌측 하부갑상선 절제술을 시행하였고 조직검사 결과 부갑상선종으로 진단되었다.

Tips & Pearls

Basic
- 부갑상선종의 초음파 소견: 균일한 저에코성 병변으로, 경계가 명확하고 밝은 고에코의 캡슐을 가지고, 색도플러상 실질내 과혈관분포를 보인다.

Advanced
- 세침흡인검사 및 부갑상선 호르몬 세척검사를 함께 시행할 경우 진단에 도움을 받을 수 있다.
- 초음파 단독보다는 Tc-99m sestamibi스캔이나 4D CT를 함께 시행하면 진단율을 높일 수 있다.
- 초음파장비의 송신주파수(transmitted frequency)를 낮추어 투과 깊이를 증가시키면 식도나 기도 후방의 깊은 부위의 해상력을 높일 수 있다.

2) 부갑상선낭

부갑상선낭은 매운 드문 질환으로, 부갑상선항진증을 동반하지 않는 비기능성낭이 75-85%, 기능성낭이 15-25%를 차지한다.[3] 임상에서는 갑상선 종괴가 의심되어 검사를 하다 우연히 발견되는 경우가 대부분이다.[13]

대개 갑상선 하극 주변에 위치하지만, 하악과 상종격동 사이 어느 곳에든 존재할 수 있기 때문에 새열낭종과 같은 다른 낭성 경부 종물과의 감별이 쉽지 않다. 또한 갑상선 내에 존재하는 경우도 있어 갑상선낭종으로 오인되기도 한다.[14] 따라서 초음파검사를 포함한 영상검사만으로 부갑상선낭을 진단하기는 쉽지 않고, 초음파 유도하 세침흡인검사로 흡인액의 성상 확인과 부갑상선 호르몬 수치 측정이 진단에 매우 중요한 역할을 한다.

(1) 부갑상선낭의 초음파 소견

단일성, 단일엽성의 얇은 벽을 가진 후방음향증강(posterior acoustic enhancement)을 동반하는 무에코성의 낭성 종물로, 격벽이나 분엽성을 보이는 경우는 드물다. 동위원소 스캔을 함께하면 진단율을 높일 수 있다.[3,15]

세침흡인검사에서 갑상선 낭종은 갈색의 흡인액에서 갑상선글로불린(Tg)이 검출되는 반면에 부갑상선낭의 흡인액은 물처럼 맑은 성상이며, 흡인액에서 부갑상선 호르몬 농도를 측정하면 비기능성 부갑상선낭이라 하더라도 높은 부갑상선 호르몬 수치를 나타낸다.[16,17]

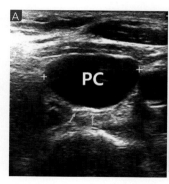
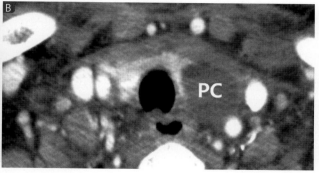

그림 3-61. 부갑상선낭의 전형적인 초음파 소견. 좌측 갑상선 후하방에 경계가 명확하고 후방음향 증강(A, 노란 화살표)을 동반한 무에코성 낭성 종물이 확인된다. 동일 환자의 컴퓨터단층촬영 이미지(B)로, 좌측 갑상선에 인접한 저밀도의 낭성 종물이 확인되나 영상검사만으로는 갑상선낭종과의 감별에 어려움이 있다. 환자는 부갑상선항진증을 동반해 수술을 시행하였고 최종 조직검사 결과 부갑상선낭으로 진단되었다.

PC, parathyroid cyst

Tips & Pearls

Basic

- 부갑상선낭의 초음파 소견: 후방음향증강을 동반하는 무에코성 낭성 종물로, 초음파 소견만으로는 부갑상선낭이라고 진단하기 어렵다.

Advanced

- 갑상선낭종을 포함한 경부 낭성 종물과의 감별을 위해서는 초음파 유도하 세침흡인검사가 필요하며, 흡인액의 성상 확인과 부갑상선 호르몬 수치 측정이 진단의 단서가 된다.
- 동위원소 스캔을 함께 하면 진단율을 높일 수 있다.

3) 부갑상선 암

부갑상선 암은 일차성 부갑상선항진증의 원인 중 1% 미만을 차지하는 드문 질환으로, 중증의 부갑상선항진증과 고칼슘혈증을 나타내는 것이 특징적 소견으로, 부갑상선 호르몬 수치가 정상 상한치의 4-5배 이상 상승되어 있고 칼슘수치도 현저히 높다면 부갑상선 암종을 의심해봐야 한다.[3,18,19] 또한 성대마비를 동반하거나 연하 시 움직임이 없는 종물이 촉지되는 경우 부갑상선 암의 주변 침습을 의심해봐야 한다.[3] 1/3예에서 림프절 전이, 1/4예에서 원격 전이를 보인다.

(1) 부갑상선 암의 초음파소견

갑상선 후방에 위치하는 저에코성 결절로 부갑상선종과 잘 구분이 되지 않는 경우가 흔하다. 약 50%에서 침투성 경계와 석회화를 보이고, 가로 세로 비율이 1 이상, 분엽의 형태, 불균일한 내부에코, 주위 조직으로의 침윤 소견 등이 나타난다. 대개 진단 시 부갑상선종에 비해 크기가 크고(대개 30 mm 이상), 캡슐이 두껍고 부갑상선 기능항진 정도가 강하며 색도플러상에서는 경계로부터 불규칙적으로 뻗어나가는 양상의 혈관분포를 보이는 경우가 많다.[3,20-22]

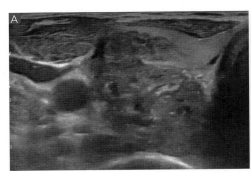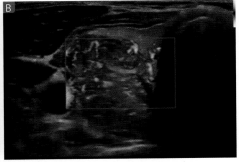

그림 3-62. 주변조직을 침투하는 부갑상선 암. 66세 남성. 혈액검사상 PTH 1,295 pg/mL(정상치: 8-76), Ca 16.8 mg/dL(정상치: 8.6-10.2)로 심한 부갑상선항진증과 고칼슘혈증을 보였다. A: 우측 갑상선 후방에 위치하는 불균일한 저에코성 고형 종물로 경계가 불명확하고 갑상선을 직접 침범하는 것으로 보이며, 내부에 부분적 낭성 변성과 함께 석회화 소견을 보인다. B: 색도플러상 종물 내부와 표면을 따라 삐쭉삐쭉하게 뻗어나가는 혈관분포를 보인다. 실제 수술 소견상 갑상선뿐만 아니라 후방 식도로의 침범이 확인되었다.

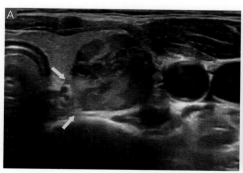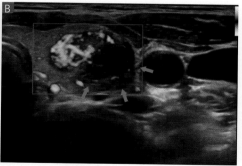

그림 3-63. 갑상선내부에 존재하는 부갑상선 암. 52세 여성. PTH 625 pg/mL (8-76), Ca 13 mg/dL (8.6-10.2)로 일차성 부갑상선항진증으로 수술한 환자다. A: 좌측 갑상선 내부에 존재하는 불균일한 저에코성 종물로 부분적으로 갑상선 실질로의 침투성 경계(노란색 화살표)를 나타낸다. B: 종물 내부에 낭성 변성(빨간 화살표)을 동반한다. 병변의 크기는 54*28*20 mm로 부갑상선 암의 경우 대개 30 mm 이상으로 갑상선종에 비해 크기가 크다. 수술 전 시행한 세침흡인세포검사상 비정형으로 확인되었고, 최종 조직검사 결과 부갑상선 암으로 진단되었다.

Tips & Pearls

Basic
- 갑상선에 인접한 저에코성 고형 종물로 일반적인 부갑상선종보다 크기가 크고 주변조직으로의 침투성 경계를 가지는 경우 부갑상선 암종을 의심할 수 있다.

Advanced
- 초음파 소견과 함께 혈액검사와 임상양상을 종합해 진단한다.

참고문헌

1. Bilezikian J, Khan AA, Potts J, et al. Guidelines for the management of asymptomatic primary hyperparathyroidism: summary statement from the third international workshop. J Clin Endocrinol Metab 2009;94:335-9.
2. Halenka M, Fryšák Z. Atlas of thyroid ultrasonography. Springer; 2017.
3. Ahuja AT. Diagnostic ultrasound: head and neck. 2nd ed. Elsevier; 2019.
4. Ghervan C. Thyroid and parathyroid ultrasound. Med Ultrason 2011;13:80-4.
5. Orloff LA. Head and neck ultrasonography: essential and extended applications. 2nd ed. Plural Publishing; 2017.
6. Ulanovski D, Feinmesser R, Cohen M, et al. Preoperative evaluation of patients with parathyroid adenoma: role of high-resolution ultrasonography. Head Neck 2002;24:1-5.

7. Noel JE, Orloff LA. Ultrasound of the parathyroid glands. In: Welkoborsky HJ, Jecker P. Ultrasonography of the head and neck. Springer; 2019. pp. 279-89.

8. Solorzano CC, Carneiro DM, Ramirez M, et al. Surgeon-performed ultrasound in the management of thyroid malignancy. Am Surg 2004;70:576-80.

9. Steward DL, Danielson GP, Afman CE, et al. Parathyroid adenoma localization: surgeon-performed ultrasound versus sestamibi. 2006;116:1380-4.

10. Mohammadi A, Moloudi F, Ghasemi-rad M. The role of colour Doppler ultrasonography in the preoperative localization of parathyroid adenomas. Endocr J 2012;59:375-82.

11. Strauss SB, Roytman M, Phillips CD. Parathyroid Imaging. Neuroimaging clin N Am 2021;31:379-395.

12. Abraham D, Sharma PK, Bentz J, et al. Utility of ultrasound-guided fine-needle aspiration of parathyroid adenomas for localization before minimally invasive parathyroidectomy. Endocr Pract 2007;13:333-7.

13. Rosenberg J, Orlando 3rd R, Ludwig M, et al. Parathyroid cysts. Am J Surg 1982;143:473-80.

14. Sung JY. Parathyroid ultrasonography: the evolving role of the radiologist. Ultrasonography 2015;34:268-74.

15. Agarwal C, Kaur N, Saha S, et al. Parathyroid cyst: a rare diagnosis of a neck swelling. J Clin Diagn Res 2009;3:1679-811679.

16. Lassaletta L, Bernaldez R, Garcia-Pallares M, et al. Surgical management of recurrent parathyroid cyst. Auris Nasus Larynx 2002;29:83-5.

17. Dutta D, Selvan C, Kumar M, et al. Needle aspirate PTH in diagnosis of primary hyperparathyroidism due to intrathyroidal parathyroid cyst. Endocrinol Diabetes Metab Case Rep 2013;2013:130019.

18. Koea JB, Shaw JH. Parathyroid cancer: biology and management. Surg Oncol 1999;8:155-65.

19. Cheah WK, Rauff A, Lee KO, et al. Parathyroid carcinoma: a case series. Ann Acad Med Singap 2005;34:443-6.

20. Hara H, Igarashi A, Yano Y, et al. Ultrasonographic features of parathyroid carcinoma. Endocr J 2001;48:213-7.

21. Christakis I, Vu T, Chuang HH, et al. The diagnostic accuracy of neck ultrasound, 4D-computed tomographyand sestamibi imaging in parathyroid carcinoma. Eur J Radiol 2017;95:82-8.

22. Nam M, Jeong HS, Shin JH. Differentiation of parathyroid carcinoma and adenoma by preoperative ultrasonography. Acta Radiol 2017; 58:670-5.

SECTION

타액선

김정규, 최익준 (그림 김용범)

1 타액선

1) 해부학

(1) 악하선

초음파 탐촉자를 하악골에 평행하게 위치하면 균질한 고에코의 악하선 실질을 관찰할 수 있다. 악하선 실질에서 안면동맥의 주행을 관찰할 수 있으며, 악하선과 하악골 사이에서 림프절을 관찰할 수 있다. 앞쪽에는 악설골근(mylohyoid muscle), 설골설근(hyoglossus muscle)이 관찰되고 뒤쪽에는 이복근후복(posterior belly of digastric muscle)을 관찰할 수 있다(그림 4-1). 악하선관은 보통은 관찰되지 않지만 악설골근과 설골설근 사이로 주행하여 악설골근의 후방경계에서 악하선으로 굽어 올라간다. 관폐쇄가 있을 경우 저에코의 굵은 관으로 관찰될 수 있다.

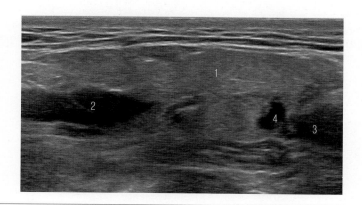

그림 4-1. 좌측 악하선. 1. 악하선 실질, 2. 악설골근, 3. 이복근후복, 4. 안면동맥

(2) 이하선

초음파 탐촉자를 귓볼 아래에서 횡단면으로 위치하면 균질한 고에코의 이하선 실질을 관찰할 수 있다. 이하선 실질은 지방의 양에 따라 다양한 에코를 보이며, 지방이 많을수록 고에코를 보이고, 심엽부까지 관찰하기 어렵게 된다. 이하선 실질 내에 하악후방정맥(retromandibular vein)과 그보다 조금 깊은 곳에 외경동맥(external carotid artery)을 관찰할 수 있다(그림 4-2). 이하선 실질 내에는 정상 림프절이 관찰될 수 있으며, 타원형이면서 중앙에 고에코의 문(hilum)을 포함하고 있다. 이하선관은 고에코의 가는 선으로 관찰되며, 관폐쇄가 있을 경우 저에코의 굵은 관으로 관찰될 수 있다. 앞쪽에는 교근과 하악골 가지(ramus)가 관찰되고 뒤쪽에서는 흉쇄유돌근, 이복근후복을 관찰할 수 있다. 탐촉자를 볼 앞쪽에 위치하면 교근의 앞쪽 경계와 협근(buccinators muscle)을 관찰할 수 있으며, 구강내 공기가 협근아래에 고에코의 선으로 관찰된다(그림 4-3). 간혹 협근 위에는 부이하선이 관찰될 수 있다.

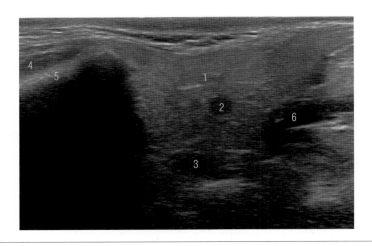

그림 4-2. 좌측 이하선. 1. 이하선 실질, 2. 하악후방정맥, 3. 외경동맥, 4. 교근, 5. 하악골가지, 6. 이복근후복

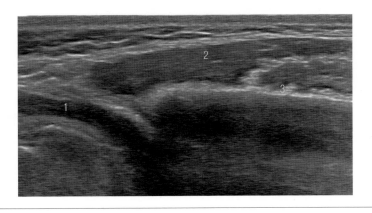

그림 4-3. 좌측 이하선 앞쪽. 1. 협근, 2. 교근, 3. 하악골

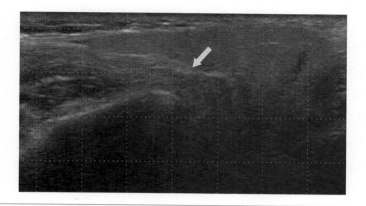

그림 4-4. 좌측 이하선. 이하선관이 고에코의 선으로 관찰된다.

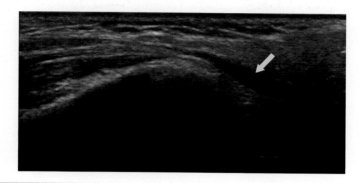

그림 4-5. 좌측 이하선. 이하선관의 폐쇄로 인하여 확장되면 저에코의 관으로 관찰된다.

(3) 설하선

피검자가 목을 신전하고 정면을 바라본 자세에서 초음파 탐촉자를 횡단방향으로 위치하면 관상면의 초음파 영상을 볼 수 있으며, 악설골근 아래쪽에서 고에코의 설하선을 관찰할 수 있으며, 양쪽 설하선의 내측에 이설골근과 이설근이 관찰된다(그림 4-6). 설하선은 탐촉자를 하악골에 평행하게 위치하여 위쪽 안쪽으로 기울이면 중앙에 사선으로 굵게 지나는 악설골근의 아래쪽에서 삼각형 모양으로 관찰된다(그림 4-7). 악하선관의 폐쇄가 있을 경우 삼각형 모양의 설하선 아래쪽에서 저에코의 관으로 관찰되며 악설골근 후방경계를 돌아 악하선으로 올라가는 것을 관찰할 수 있다.

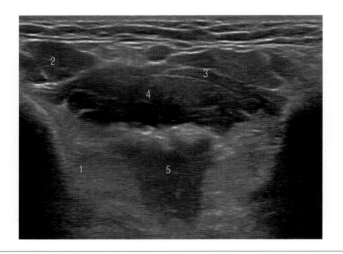

그림 4-6. 설하선. 1. 설하선, 2. 이복근 전복, 3. 악설골근, 4. 이설골근, 5. 이설근

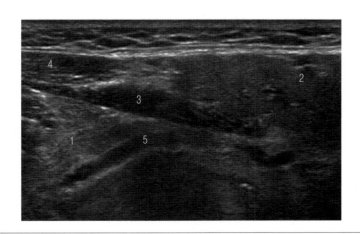

그림 4-7. 좌측 설하선과 악하선 1. 설하선 2. 악하선, 3. 악설골근, 4. 이복근전복, 5. 확장된 악하선관

2) 타액선염

(1) 급성 타액선염

급성 타액선염이 생기면 타액선 실질의 크기가 커지고, 저에코 또는 비균일한 소견을 보이며, 도플러 검사에서 혈관이 증가된 소견을 보인다. 림프부종을 동반한 경우 가지모양의 저에코 선이 불규칙하게 흩어져 있는 고에코 실질을 관찰할 수도 있다. 실질 주변의 피부도 부종소견을 보인다.

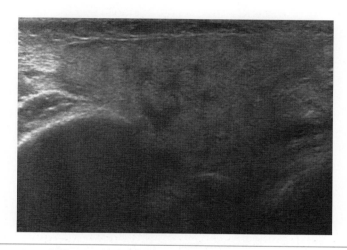

그림 4-8. 좌측 이하선. 급성이하선염; 이하선 실질에 가지모양의 저에코선이 불규칙하고 관찰되며, 실질의 크기가 증가되어 있다.

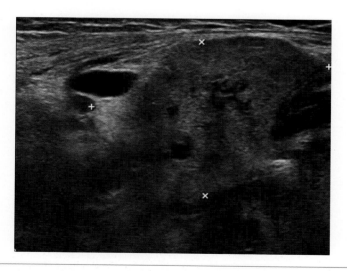

그림 4-9. 우측 악하선. 볼거리(mumps). 악하선 실질의 크기가 증가되고 가지모양의 저에코선이 관찰된다. 림프절 종대와 피하부 부종을 동반하였다. Mumps IgM Ab 양성소견을 보였다.

(2) 만성 타액선염

만성 타액선염이 생기면 타액선 실질의 크기는 정상 또는 다소 작으며, 비균일한 소견을 보이며, 도플러 검사에서 혈관이 감소된 소견을 보인다. 확장된 타액선관이 저에코의 작은 타원 또는 원형으로 보이는데, 실질에 여러 개가 흩어져 보인다. 타액선염이 진행하면 실질은 저에코가 심해지고, 위축되어 크기가 더 작아진다.

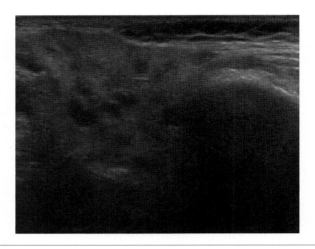

그림 4-10. 우측 이하선. 소아 재발성 이하선염(juvenile recurrent parotitis). 타원 또는 원형 저에코가 실질에 여러 개가 흩어져 있다.

3) 타석증

타석증이 의심되는 경우 초음파 검사의 일차 목적은 타석을 확인하는 것이다. 3 mm 크기 이상의 타석은 음향 그늘(acoustic shadowing)을 동반하는 고에코의 선 또는 점으로 관찰된다. 해부학적으로 침샘관의 주행경로를 따라 초음파 검사를 하는 것이 좋다. 드물게 설골을 악하선 타석으로 오인할 수 있으나 악하선관의 주행경로와는 떨어져 있으므로 감별할 수 있다. 초음파 검사를 하는 동안 손가락으로 입안을 촉진하면 타석을 확인하는 데 도움이 된다. 타석 확인 다음으로 중요한 초음파 소견은 타액선관의 확장과, 타액선실질의 변화이다. 타액선관이 확장되면 저명하게 확인되지 않던 타액선관이 저에코의 굵은 관으로 관찰되며 타액선실질은 크기가 커지고 저에코 소견을 보일 수 있다. 급성 염증을 동반한 경우 타액선관 확장과 타액선실질의 변화가 저명하게 관찰된다. 농양을 형성한 경우 타석 주변에 저에코의 음영을 관찰할 수 있다. 악하선관 개구부 근처의 작은 타석은 초음파에서 확인하기 어려운 경우가 있지만 악하선관 확장 및 실질의 변화를 동반할 수 있으므로 진단에 도움이 된다. 타석이 오래된 경우 타액선기능이 감소하여 침샘실질이 위축되어 크기가 감소하고 저에코로 보일 수 있다.

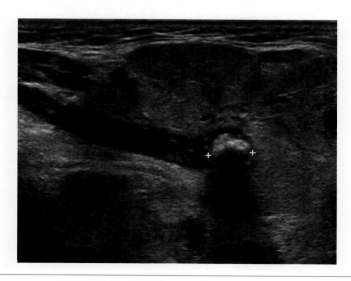

그림 4-11. 좌측 악하선 타석. 악설골근 후연에 인접하여 음향그늘을 동반하는 고에코의 타석이 관찰된다.

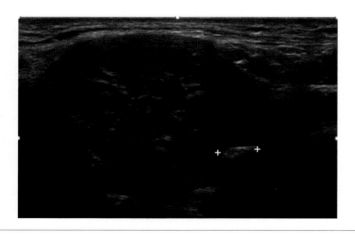

그림 4-12. 우측 악하선. 악설골근 후연 앞쪽에 타석이 위치하면 고에코의 선이 관찰되지만 타석을 인지하지 못할 수 있으므로 주위가 필요하다. 타석 근위부에 악하선관의 확장과 실질부 부종이 동반되었다.

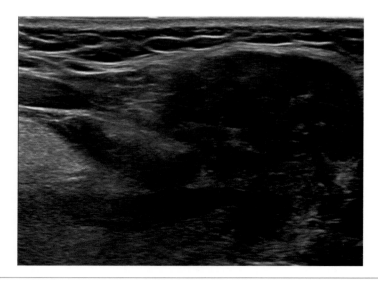

그림 4-13. 좌측 악하선. 급성 감염을 동반하여 악하선관이 확장되고, 악하선 실질의 크기가 커지고 저에코로 변하였다. 확장된 악하선관을 따라 개구부 쪽으로 스캔하면 타석을 확인할 수 있다.

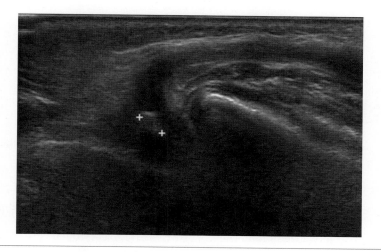

그림 4-14. 좌측 이하선. 이하선 개구부 타석, 교근 앞쪽에서 협근에 인접하여 고에코의 선이 관찰되고 그 후방으로 악하선관이 확장되어 그 주행경로가 잘 확인된다.

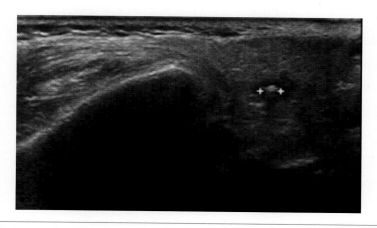

그림 4-15. 좌측 이하선 실질부 타석. 교근 뒤쪽 이하선 질질부에서 고에코의 타석이 관찰된다.

113

2 타액선 종양

타액선 종양의 병리조직학적 분류법으로는 WHO 분류법이 많이 사용되고 있다. 선종으로는 다형선종(pleomorphic adenoma), 근상피종(myoepithelioma), 기저세포선종(basal cell adenoma), 와르틴 종양(Warthin's tumor), 호산성과립세포종(oncocytoma) 등이 있다. 암종으로는 선방세포암종(acidic cell carcinoma), 점액표피암종(mucoepidermoid carcinoma), 악성혼합종(malignant mixed tumor), 선양낭성암종(adenoid cystic carcinoma), 타액관암종(salivary duct carcinoma), 선암종(adenocarcinoma), 편평세포암종(squamous cell carcinoma), 미분화암종(undifferentiated carcinoma) 등이 포함된다.

가장 흔한 양성 종양은 다형선종(pleomorphic adenoma)으로 모든 타액선 종양의 65% 정도이며, 이하선 종양의 77%, 악하선 종양의 60%를 차지한다. 두 번째로 흔한 양성 종양은 와르틴 종양(Warthin's tumor)으로 대부분 이하선에서 발생한다. 소아에서 가장 흔한 양성 종양은 혈관종이다. 가장 흔한 악성 종양은 점액표피암종(mucoepidermoid carcinoma)으로 대부분 이하선에서 발생하며, 악하선에서도 선양낭성암종(adenoid cystic carcinoma) 다음으로 흔한 암종이다.

전체 타액선 종양의 70%가 이하선에서 발생하고 이하선에서 발생하는 종양의 3/4 이상은 양성이다. 하지만 악하선에서 발생하는 종양의 50%가 악성 종양이며 설하선이나 소타액선에서 발생하는 종양의 80% 이상은 악성 종양이다.

대개의 경우 타액선 종양은 초음파 소견만으로는 종양의 진단이 어렵기 때문에 각 종양의 임상적 특징을 알고 있는 것이 중요하고 궁극적으로는 세침흡인세포검사를 통한 진단이 중요하다. 타액선 악성 종양은 수술적 제거를 기본으로 치료를 시행하지만 각 종양의 악성도에 따라 치료법이 달라질 수 있으므로 세침흡인세포검사를 통한 진단이 중요하다. 따라서 타액선 종양이 의심되는 모든 환자에서 세침흡인세포검사를 시행하는 것이 좋다. 타액선 종양에서의 세침흡인검사는 86-98%의 정확도와 85.5-99%의 민감도, 96.3-100%의 특이도를 갖는 것으로 보고되고 있다.

임상적으로 안면신경마비, 동측 혀의 마비 혹은 감각이상이나 통증으로 동반하는 경우, 종괴의 크기가 갑자기 증가하는 경우, 종괴가 주위 구조물이나 피부에 고정되어 있는 경우, 림프절이 촉진되는 경우에 악성 종양을 의심해야 한다.

임상적으로 가장 흔하게 볼 수 있는 양성 종양인 다형선종 및 와르틴 종양과 가장 흔한 악성 종양인 점액표피양암종 및 선양낭성암종의 임상적 특징 및 초음파 소견을 정리해보았다.

1) 양성 종양

(1) 다형선종(pleomorphic adenoma)

주타액선에서 발생하는 종양의 2/3 이상을 차지하면서 부타액선에서 발생하는 종양의 50% 이하에 관찰되는 가장 흔한 양성 타액선 종양으로, 모든 타액선 종양의 65%를 차지한다. 가장 흔한 부위는 이하선 천엽의 미부이다. 20-40대에서 호발하며 여성에서 좀 더 많이 발생한다. 일반적으로 단발성이고, 서서히 발육하며 약 1/4에서 종양 주위에서 떨어져 나간 결절처럼 보이는 병변(satellite nodule)이 있는 경우가 있다.

초음파 영상은 타원 내지는 분엽상(lobulated) 형상, 변연 평활하며 경계가 명료(well-defined)하고 균일한 내부 에코상(homogenous echo) 등의 양성 패턴을 보인다. 조직학적으로 ① cell type ② myxomatous type ③ fibromatous type ④ chondroid type으로 크게 4가지로 분류되는데 ①, ②는 저에코를 ③, ④는 다소 저에코부터 등에코까지를 보인다.

종괴의 크기가 3 cm 이상 되면 다각형보다 분엽상이 되고 변연 요철화도 보이고 내부에 낭성변성과 출혈괴사에 의해서 불균일화(heterogeous)로 보일 수도 있다. 크기가 커지더라도 피막은 기본적으로 보존되고 주위조직과의 경계도 명료하다.

대부분의 증례에서 와르틴 종양 등 다른 이하선 종양에 비해서 후방에코가 증강(intense posterior ehancement)되고 측방에코는 감약되어 있다. 종양내부의 혈류는 적고 변연에 혈류가 보이는 경우가 많다. 다형성 선종은 재발 빈도가 높고 악성화(1.5-10%)의 가능성도 있으므로 다형선종으로 진단이 되면 악성으로 변하는 것을 피하기 위해서 조기에 수술을 권해야 한다. 치료 후에도 재발여부 확인을 위해서 주의 깊은 추적관찰이 필요하다.

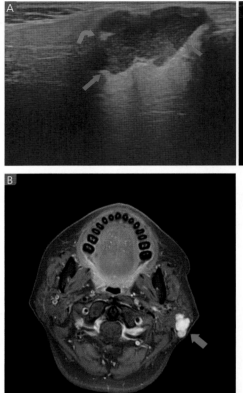
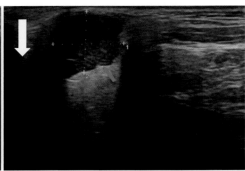

그림 4-16. A: 초음파 횡단영상 - 좌측 이하선 천엽에서 후방에코 증가(빨간색 화살표)를 보이는 경계는 명료하고, 고형의 저에코성 분엽상(파란색 화살표)의 결절로 보임, 좌측 하악골(흰색 화살표)이 보인다. B: MRI T1 강조영상에서 좌측 이하선에 분엽상의 고신호강도를 보이는 분엽상의 종양(빨간색 화살표)이 보인다.

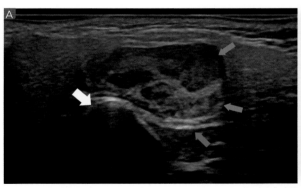
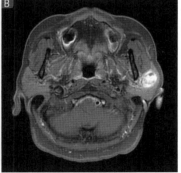

그림 4-17. A: 초음파 횡단영상 – 좌측 이하선 천엽에 후방에코증강(빨간색 화살표)을 보이는 경계가 분명한(파란색 화살표) 고형성분의 불균질한 결절이 보인다. 좌측 하악골(흰색 화살표)이 보인다. B: MRI T1 강조영상에서 좌측 이하선에 하악골에 인접한 고신호강도를 보이는 종양이 보인다.

(2) 와르틴 종양(Warthin's tumor)

이하선 양성 종양에서 다형선종 다음으로 많고 이하선 종양의 약 10% 정도를 차지한다. 50-60대 남자에서 호발한다. 태생기에 이하선 림프절에 들어간 이소성 타액선에서 발생하는 것으로 알려져 있고, 이하선과 이하선 주위 림프절에서 주로 발생하며 특히 이하선 미부에 호발한다. 일정한 크기가 되면 발육이 정지되고 완만한 발육형태를 나타내므로 고령자의 무통성 종괴로 내원하는 경우가 많고 악성화는 매우 드물다. 약 5%에서 양측성 발생이 보이고 동측 또는 양측성으로 다수가 관찰되는 경우가 많다.

초음파 영상에서 주위와의 경계가 명확하고 내부에코가 현저하게 낮다. 후방에코 증강 소견이 있지만 다형선종보다 강하지는 않고 단방성 낭종과 구별이 곤란한 경우가 있다. 약 반수에서 종양 내에 낭종형성과 격벽구조가 보이고 다형선종에 비해서 내부에코는 다소 불균질하다.

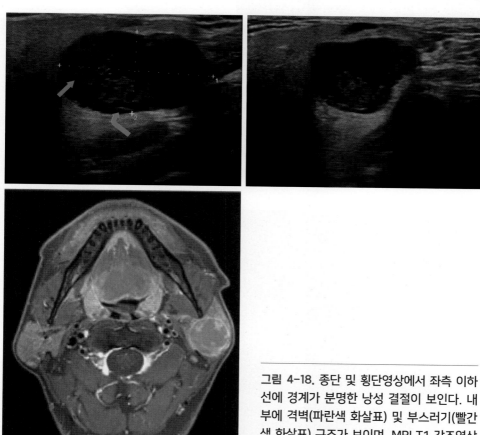

그림 4-18. 종단 및 횡단영상에서 좌측 이하선에 경계가 분명한 낭성 결절이 보인다. 내부에 격벽(파란색 화살표) 및 부스러기(빨간색 화살표) 구조가 보이며, MRI T1 강조영상에서 좌측 이하선 심엽과 천엽에 걸쳐진 불균질하게 증강된 종양이 보인다.

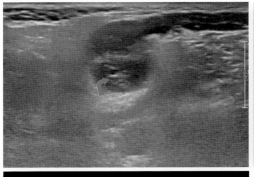
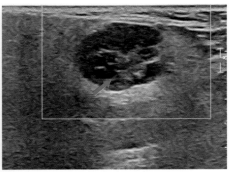
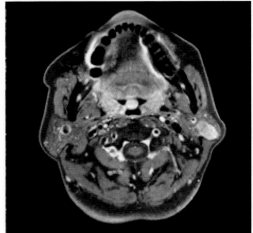

그림 4-19. 종단 및 횡단영상에서 좌측 이하선에 경계가 분명한 낭성 결절이 보인다. 내부에 격벽(파란색 화살표) 및 부스러기(빨간색 화살표) 구조가 보인다. MRI T1 강조영상에서 좌측 이하선 심엽과 천엽에 걸쳐진 불균질하게 증강된 종양이 보인다.

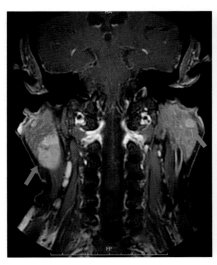

그림 4-20. 양측 이하선에서 MRI T1 강조영상 양측 이하선 종양이 관찰, 초음파유도하 세침검사에서 와르틴 종양으로 진단, 양측에서 (빨간화살표: 우측 종양, 파란 화살표:좌측 종양) 관찰되는 종양에서 와르틴 종양을 의심해야 된다.

2) 악성 종양

(1) 점액표피양암종(mucoepidermoid carcinoma, MEC)

타액선 악성 종양의 약 30%를 차지한다. 이하선 발생이 많고(이하선:악하선=9:1) 이하선 악성 종양 중에서 가장 흔하다. 호발연령은 20-40대이지만 어느 연령에도 발병한다. 소아 타액선 악성 종양중에 가장 많다. 저, 중, 고 악성도로 분류되는데 저악성도의 경우에는 경계가 명확하고 점액성 낭종 성분과 석회화가 보여서 양성 종양과의 감별은 힘들다. 고악성도의 경우는 고형성분이 많고 침윤성 때문에 후방에코의 감약과 소실이 자주 보이고 경계도 불명확(irregular margin)하다.

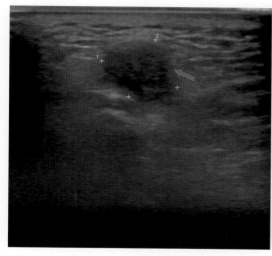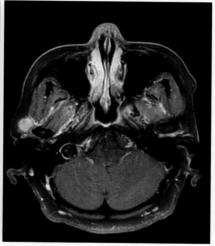

그림 4-21. 점액표피양암종, 저악성도(MEC, low grade): 초음파 종단소견에서 저도 점액표피양암종은 경계가 분명(빨간색 화살표)하고, 양성 종양과 비슷한 균질한 에코의 고형 종양소견으로 보임. 하지만 고악성도의 점액표피양암종에서는 경계가 불분명하고 괴사 및 출혈로 인하여 불균질하게 보이는 에코를 가진 고형성 종양으로 보인다. 때때로 주위 연부조직 및 피부를 침범하는 소견을 보이기도 한다.

(2) 선양낭성암종(adenoid cystic carcinoma, ACC)

타액선 암종 중 두 번째로 흔하며 50-60대에 호발하며 남녀비는 비슷하다. 이하선 종양의 2-6%이고 악하선, 설하선 악성 종양에서 가장 흔하다. 대부분 서서히 자라지만 국소적으로 침윤성이고, 재발률이 높으며, 신경을 따라서 퍼지는 경향이 있어서 소수에서는 초기 증상으로 안면신경마비, 삼차신경마비와 통증을 호소하기도 한다. 25-55%에서 원격전이가 많이 발생할 수 있으며 특징적으로 폐나 뼈에 원격전이가 많이 발생하기 때문에 선양낭성암종으로 진단되면 폐와 뼈에 대한 검사가 같이 시행되어야 한다. 질환이 서서히 자라기 때문에 원격전이가 있는 상태에서도 종종 5년 이상 생존할 수 있으며 완치 후 15년 이후에도 재발이 가능하다. 크기가 작을 때는 양성 종양과 구별이 어렵지만 크기가 커질수록 변연 불규칙, 경계 불명확, 후방에코 감약 등의 악성 패턴을 보인다.

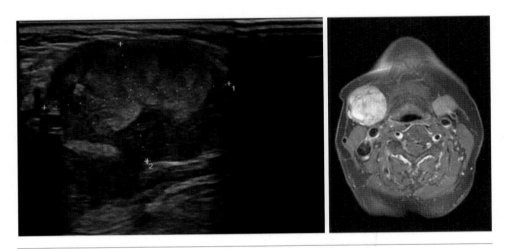

그림 4-22. 악하선, 선양낭성암종(ACC): 초음파 횡단영상에서 우측 악하선에서 경계가 불분명하고 주위 조직 침범이 의심되는 불균질한 에코를 보이는 종양이 보인다. MRI T1 강조영상에서 악하선 뒤쪽의 선외(extraglandular) 연부조직 침범이 의심되는 불균질한 종양이 보인다. MRI는 악성침샘종양에서 해부학적인 침범 정도 및 신경주위 침윤을 평가하는 데 가장 좋은 검사방법이다.

(3) 림프종(lymphoma)

타액선에서 생기는 원발성 림프종은 드물며 림프절외 림프종의 약 5%에서 발생한다. 이하선에 가장 호발하는데 이하선 내의 림프절 침범으로 인한 것으로 보인다. 진단 기준으로는 타액선 외의 림프종이 발견되지 않아야 하고 조직학적으로 타액선 실질 내에서 일차적으로 발생한 것이어야 하고 세포형태학적으로 악성의 형태를 띠고 있어야 한다. 예후는 일반적으로 좋은 편이다.

초음파 소견은 미만성 불균일한 에코를 보이고 다수의 작은 저에코성 미세낭성변화(multiple, small, microcystic changes) 혹은 그물형(reticular pattern)을 보여서 만성 침샘염과 비슷한 소견을 보이기도 한다. 도플러상에서는 미만성 과혈관성을 보인다.

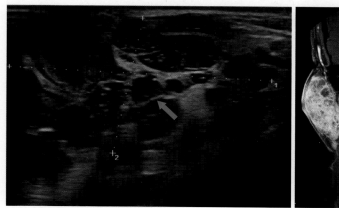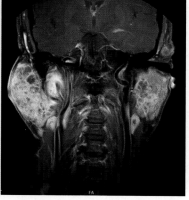

그림 4-23. 이하선 MALT 림프종: 초음파 종단면에서 거북이등 혹은 자갈 모양의 고에코 격벽(빨간색 화살표) 구조물을 포함하는 부정형, 다결절성, 저에코/가낭성 종양이 보임. MRI T1 강조영상에서도 양측 이하선에 얇은 고음영 격벽에 의해서 산재된 다발성의 저음영 분엽을 가진 종양이 보임. 초음파와 같이 미세낭성형 변화 혹은 그물형 패턴을 보인다.

(4) 기타 악성 종양

이외에도 선방세포암종(acidic cell carcinoma), 악성혼합종(malignant mixed tumor), 타액관암종(salivary duct carcinoma), 선암종(adenocarcinoma), 편평세포암종(squamous cell carcinoma), 미분화암종(undifferentiated carcinoma) 등이 있다. 초음파 소견으로 불균일한 저에코를 보이면서 주위 경계가 불명확하고 저작근 등의 주위 조직을 침범하는 소견을 보일 때, 주위 경부에 전이가 의심되는 임파선이 있을 때 등의 악상화 초음파 소견을 보일 때 악성 종양을 의심해볼 수 있고 세침흡인검사를 반드시 시행해서 조직학적 진단을 내려야한다.

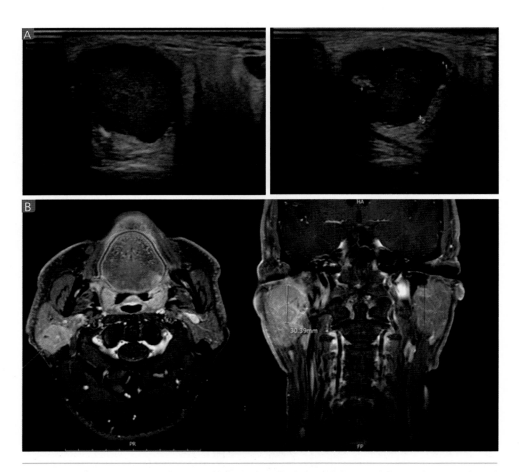

그림 4-24. 타액관암종. A: 초음파 종단 및 횡단 영상에서 경계가 불분명하고 우측 교근 및 주위 연부조직을 침범한 종양이 보인다. B: MRI T1 강조영상에서 우측 이하선 뒤쪽의 연부조직으로 선외 침범을 하고 있는 불균질한 종양이 보인다.

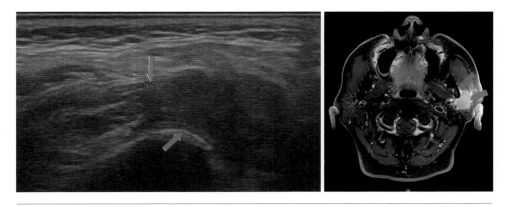

그림 4-25. 이하선 편평세포암종: 초음파 횡단 영상 및 MRI T1 강조영상에서 하악지(빨간색 화살표)및 교근(파란색 화살표)을 선외 침범한 종양이 보인다.

3) 하마종(Ranula)

악하선이나 설하선의 점액 유출에 의하여 발생하는 저류성 낭종이다. 구강저에만 국한되지 않고 경부까지 퍼지게 된 몰입형(plunging ranula)의 경우 초음파 검사나 컴퓨터 단층촬영 등을 통해 진단에 도움을 받을 수 있고 진단이 힘든 경우 천자 및 흡인검사를 시행할 수 있다. 흡인 시에 진득한 타액과 같은 물질(thick mucous)이 나올 때 의심할 수 있다.

초음파 영상으로 전체상의 관찰이 곤란한 경우가 많기 때문에 CT나 MRI를 같이 시행해 보는 것이 좋다. 기본적으로 낭종성 패턴상 즉 후방 에코 증강을 동반한 저에코 종괴를 보인다. 내부에코는 낭종 내용성분에 의해서 점상 고에코가 보이고 고형성 종괴로 혼동되는 경우도 있다. 그러나 탐촉자의 압박에 의해 내부에코에 움직임이 보이는 것으로 감별은 가능하다. 감별 진단에는 낭성림프관종, 유상피종, 설하선과 소타액선 유래의 낭종성 종양이 있다.

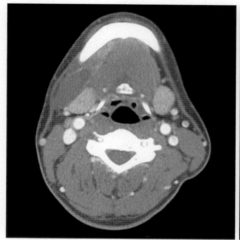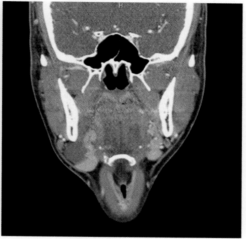

그림 4-26. 몰입형 하마종: 경부 CT에서 우측 악하공간에서 다결절성, 낭성구조를 가진 몰입형 하마종이 관찰됨. 초음파 소견으로는 낭성 구조물로 관찰되지 않지만 세침흡인 검사에서 진득한 타액과 같은 물질(thick mucous)이 나올 때 의심할 수 있다.

Tips & Pearls

Basic

- 타액선 종양은 임상양상이 중요하다. 임상적으로 안면신경마비, 동측 혀의 마비 혹은 감각이상이나, 통증을 동반하는 경우, 종괴의 크기가 갑자기 증가하는 경우, 종괴가 주위 구조물이나 피부에 고정되어 있는 경우, 림프절이 촉진되는 경우에 악성 종양을 의심해야 한다.

Advanced

- 초음파 소견에서 경계가 불명확, 후방에코 감약, 불균질한 에코 등의 악성화 소견을 보이는 경우에는 반드시 세침흡인검사를 시행해야 한다.

기타질환

1) Sjogren's syndrome

만성 염증성 자가면역성 질환으로 외분비선 중 특히 타액선과 누선이 주로 침범되어 건성 각결막염과 구내 건조증이 발생하면 류마티스성 관절염 등의 결체조직병이 합병된다. 외분비선만을 침범하여 각결막염, 결막건조 및 구내건조증의 증상만이 나타나는 경우를 1차성 Sjongren's 증후군이라고 하고, 추가로 류마티스 관절염, systemic lupus erythematous, scleroderma 등과 같은 다른 자가면역질환이 동반되는 경우를 2차성 혹은 속발성 Sjongren's 증후군이라고 한다. 90% 이상이 여자에서 발생하고 진단 시의 평균 연령은 약 30-40세이나 어느 연령층에서도 발생가능하다. 구강 및 안구건조증이 주증상이므로 이런 증상이 있고, 주로 이하선을 침범하므로 양측 이하선 부종이 있거나 압통이 있을 때 의심해볼 수 있다. 진단은 임상 양상 및 검사를 통하여 안구건조증, 구내건조증을 규명하는 것이다. 소타액선 생검과 더불어 타액 및 누액 분비량을 측정하며, Ro (SSA)와 La (SSB) 항원에 대한 항체검사를 시행한다.

초음파 영상 소견은 낭성 및 고형성 성분의 조합으로 나타날 수 있다. 타액선 및 누선의 침범은 양측 비대칭적으로 나타날 수 있다. 타액선이나 누선에서 산재된 다중의 불연속 저에코 초점을 가진 미세 낭종성 변화("leopard skin" or reticular like)처럼 보이는 것이 가장 특징적인 소견이다. 림프구가 응축되어 있을 때 고형성으로 보인다. 만성 염증으로 인하여 타액선 조직이 파괴된 경우에는 거대 낭종으로 보이기도 한다. 도플러에서는 타액선 실질내에 혈관이 증식되어 있는데 이는 병의 심한 정도와 관계가 있는 것으로 알려져 있다.

최근에 진단 목적으로 안구 상측방에 커져있는 누선 조직에 세침흡인검사를 시행하기도 한다(그림 4-27).

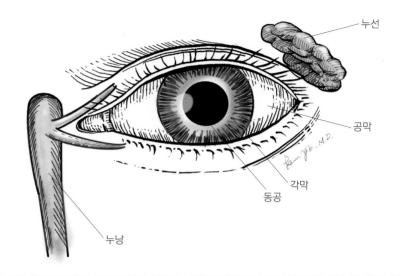

누선

공막

각막

동공

누낭

그림 4-27. Sjongren's 증후군에서 안구 상측방에 위치한 누선이 촉진 가능할 정도로 커져 있는 경우에는 누선 조직에 대해서 세침흡인검사를 시행할 수도 있다.

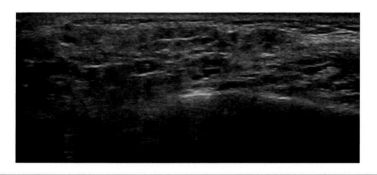

그림 4-28. 초음파 종단 영상에서 우측 이하선에서 상대적으로 커져 있는 산재된 다중의 불연속 저에코 초점을 가진 미세 낭종성 변화("leopard skin" or reticular like)를 보이는 실질이 보인다.

2) IgG4-related disease in salivary gland

IgG4-연관 질환은 섬유염증성 병변과 연관된 면역 매개 질환이다. 이 질환에 대한 역학은 아직까지도 충분히 알려져 있지 않으나, 2003년 이후 별개의 질환으로 인식된 뒤부터는 세계적으로 다양하게 보고되고 있어 사실상 인체의 모든 장기에 침범될 수 있다는 것이 알려져 있다. 대개 다발성 장기를 침범하는 만성 염증성 전신 질환의 형태로 나타나고 종종 악성, 만성 감염이나 쇼그렌 증후군 또는 혈관염 등과 같은 기타 면역 매개 질환과 오인되기도 한다. 발병기전은 2007년 IgG4-연관 경화성 췌장염의 연구에서 조력T2 세포(Th2 cell)와 사이토카인의 과분비와 관련되어 있다고 보고되었고, 최근에는 CD4 세포독성 T세포(CD4 cytotoxic T cells)에 형질모세포(plasmablast) 혹은 B세포가 제시하는 자가항원(autoantigen)과 여포 보조T세포(follicular T helper cell)의 상호작용에 의해 유발된 면역 질환으로 이해되고 있다. 두경부 영역에서는 주로 악하선, 이하선, 설하선 등 주요 침샘이나 눈물샘, 갑상선 및 뇌하수체에 IgG4 양성 형질 세포 침윤이 보고되었다. IgG4-연관 침샘염은 이하선보다는 주로 악하선을 침범하고 이하선에서는 천엽을 주로 침범하는 것으로 보고되어 있고 양측을 침범하는 경우가 흔하다.

초음파 소견은 동반되는 누선의 소견과 비슷한데 원형 또는 소엽형 윤곽을 가지고 있고 병의 초기에는 산재된 저에코 결절 패턴(scattered hypoechoic nodular pattern)을 보이고 후기에는 미만성의 저에코, 거친 실질 패턴을 보인다. 도플러에서는 확산성, 비전위성 과혈관성을 보인다. 만성적인 악하선 염증은 국소적인 Kutter 종양처럼 보이기도 한다.

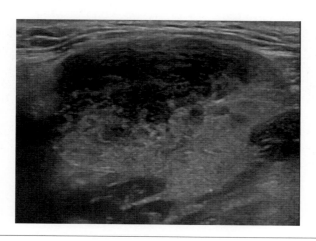

그림 4-29. 우측 악하선. IgG4-연관 침샘염. 피부쪽 실질부가 불균질한 저에코로 변하였다. 이하선 실질은 균질한 고에코의 정상 소견을 보인다.

참고문헌

1. Kim JK. Ultrasound of head and neck: anatomy. Korean J Otorhinolaryngol-Head Neck Surg 2016;59:265-72.

2. Bialek EJ, Jakubowski W, Zajkowski P, et al. US of the major salivary glands: anatomy and spatial relationships, pathologic conditions, and pitfalls. Radiographics 2006;26:745-63.

3. Orlandi MA, Pistorio V, Guerra PA. Ultrasound in sialadenitis. J Ultrasound 2013;16:3-9.

SECTION

두경부 초음파의 추가활용

김원식, 박기남, 정수연 (그림 김용범)

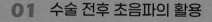

수술 전후 초음파의 활용
(Perioperative USG use)

이비인후과 영역에서 초음파는 진단적 목적으로도 활용되지만 시술, 수술에 도움을 주는 목적으로 많이 활용된다. 이비인후과 수술에 있어 수술 전, 수술 중 잘 보이지 않는 병변을 찾는 데 도움을 주고, 수술 후에 발생하는 여러 합병증을 진단하고 처치하는 데 도움을 준다. 외과의가 직접 수술을 시행할 병변을 직접 수술 전, 중에 초음파로 확인하는 것은 병변의 정확한 위치 파악, 수술범위 결정 등에 도움을 줄 수 있어 수술의 정확도를 높여준다.

1) 수술 전 초음파의 활용(Preoperative Lesion Marking)

재발한 갑상선암 수술의 경우 정상 구조물이 손상되어 있고 재발 조직이 작은 경우 확인이 어려워 수술 후 합병증이 초수술에 비해 높다.[1] 이에 수술 전 초음파로 확인된 재발 조직에 수술 중 재발 부위를 확인할 수 있도록 메틸렌 블루, 차콜 등 색이 있는 물질을 주입하여 수술 중 재발 부위 확인을 용이하게 할 수 있다.[1,2] 본 교과서에는 차콜을 이용한 수술전 표식에 대해 설명하고자 한다.

수술전 표식은 주로 수술 전 일에 시행한다. 수술 전 4%의 활성화된 차콜을 1 mL 주사기에 22G 바늘과 함께 준비한다. 환자는 일반 갑상선 초음파 때와 같이 앙와위로 경부를 신전한 자세를 취한다. 직선형 탐식자를 이용하여 병변을 확인한 후 차콜이 들어있는 주사기와 연결된 22G 바늘을 재발된 종양에 삽입한 후 천천히 차콜을 주입한다. 차콜의 주입량은 종양의 크기에 따라 다르나 주로 0.2 mL-1 mL를 주입한다. 수술 장에서 해당 부위에서 검은색으로 염색된 차콜을 확인할 수 있으며 이는 재발부위의 정확한 확인을 용이하게 한다.

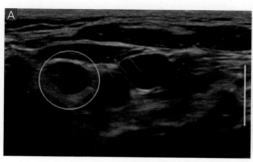
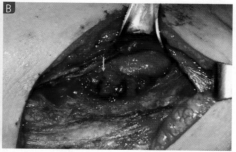

그림 5-1. 재발성 갑상선 암에 차콜의 주입. A: 초음파를 이용한 재발 암의 위치 및 차콜의 주입 (arrow: needle). B: 수술 중 주입된 차콜(arrow)의 확인

2) 수술 중 초음파의 활용(Intraoperative Localization)

이하선 수술 시 병변의 크기가 작고 수술전 검사로 심엽과 천엽의 구분이 모호한 경우가 있다. 해당 경우 이하선 천엽의 부분 절제술을 시행 후 종양의 완벽한 제거를 확인할 때 초음파가 도움이 된다. 또한 이하선 꼬리부분의 수술적 제거, 수술전 영상에서 여러 개의 작은 종양이 보이는 경우에도 수술 중 초음파는 최대한 장기를 보존하면서 제거하고자 하는 병변의 완전한 제거에 도움이 된다. 수술 중 초음파의 술식은 일반 초음파의 술식과 크게 다르지 않다. 다만 수술 중 사용을 위해 탐식자를 멸균 비닐로 완전히 덮어 수술부위가 오염되지 않도록 시행한다.

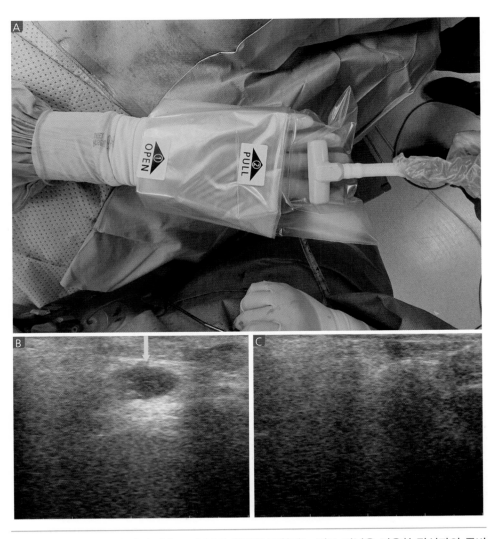

그림 5-2. 수술 중 초음파의 사용. 프루부에 완전히 접착되는 멸균 비닐을 이용한 탐식자의 준비 (A), 수술 중 초음파로 이하선 천엽의 병변의 확인(B), 제거 후 남은 병변 없음 확인(C)

3) 수술 후 초음파의 활용(Post Operative Complication)

경부 수술 후 발생할 수 있는 합병증으로 seroma, hematoma, chyle leakage 등이 있다. 합병증의 발생이 임상적으로 의심될 경우 CT를 촬영하여 확인하는 방법도 있으나 이비인후과에서 직접 초음파를 시행하게 되면 병변을 확인하면서 동시에 aspiration 등의 처치가 가능하다는 장점이 있다. 이에 대표적 경부 수술 후 합병증의 초음파 소견을 소개하고자 한다.

(1) 혈종(hematoma)

급성기의 혈종은 echogenic하게 관찰된다. 급성기의 혈종은 대부분 초음파로 확인하기보다 바로 병변이 부어오르며 재수술을 시행하게 된다. 초음파는 주로 시간이 경과한 아급성기의 병변을 확인하기 위해 사용된다. 아급성기의 혈종은 액체 레벨이 보이는 다층 병변처럼 관찰된다. 시간이 경과하여 기질화된 혈종으로 변화되면 일부는 liquefaction이 일어나며 일부에는 종양처럼 보이는 heterogenous한 병변으로 관찰된다.

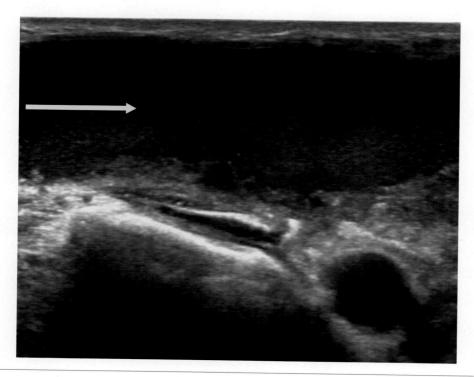

그림 5-3. 경부림프절 수술 1주 후 혈종

(2) 유미누출(chyle leakage)

유미누출은 액체가 경부 내에 고여 있는 양상으로 hypoechoic lesion으로 관찰된다. 대부분 seroma와 구별이 어려우며 aspiration을 시행하여 흡인된 액체의 색으로 구분할 수 있다.

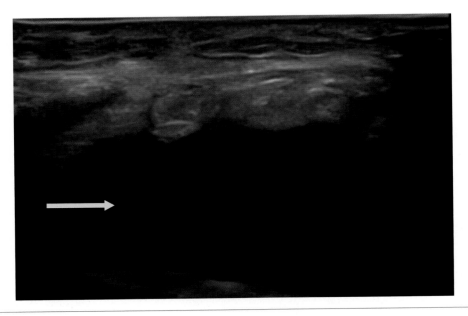

그림 5-4. 경부 림프절 수술 후 유미 누출. 좌측 5구역

Tips & Pearls

Basic
- 수술전 재발 부위의 표식으로는 차콜 이외 메틸렌 블루를 이용하는 방법이 있다. 깊지 않고, 작은 다 발성 림프절의 재발에는 피부에 표식을 하는 방법을 사용하기도 한다.

Advanced
- 수술후 혈종이 큰 경우 액화된 부분은 aspiration을 통해 일부 제거가 가능하다.
- 배액관을 제거한 환자에서 발생한 유미 누출의 경우 재수술의 적응증이 되지 않는다면 초음파 유도 하 카테터를 삽입 후 압박 드레싱을 시행하며 지켜볼 수 있다.

2

초음파 유도 경피적 확장 기관절개술
(Percutaneous Dilatational Tracheostomy, PDT)

기관지 내시경을 통한 경피적 확장 기관절개술은 중환자실에서 널리 이용되고 있는 술식으로, 최근 초음파가 기관절개술 시 유용한 도구로 부상하고 있다.[3] 이비인후과에서 흔히 시행하는 수술적 기관절개술에 비해 PDT는 출혈이나 기관절개관 부위에 염증의 빈도가 적다고 보고되고 있다.[4] 특수한 장비가 필요한 기관지 내시경 유도 PDT에 비해 초음파 유도 PDT는 경부 구조 파악에 용이하며, 혈관 손상과 같은 합병증 예방에 도움이 되고, 장비의 이동이 용이하다는 등의 장점이 있다.[5] 고식적인 기관절개술이 익숙한 이비인후과 전문의의 진료에서 초음파 사용이 늘고 있는 시점에 초음파의 또다른 활용으로 초음파 유도 PDT를 소개하고자 한다.

1) 시술준비

수술적 기관절개술과 마찬가지로 환자의 자세를 경부 신전된 상태로 위치하고, 두경부 초음파에서 사용하는 linear probe를 이용하여 axial and sagittal plane으로 전경부의 구조 및 삽관 튜브를 확인한다(그림 5-5). 이후 앞니로부터의 기도 삽관 깊이를 확인하고, 초음파로 확인한 2-3번째 기도연골 위치의 약간 아래쪽 피부에 국소 마취를 진행한다.

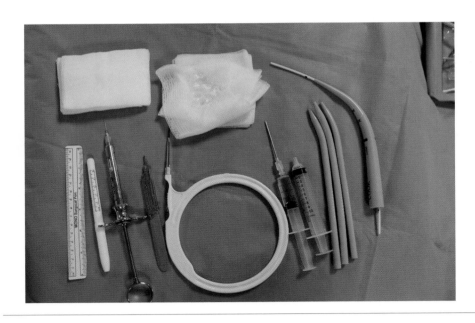

그림 5-5. 초음파 유도 기관절개술 준비

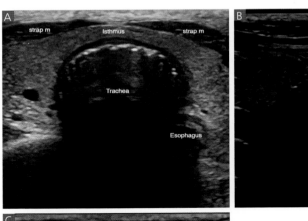

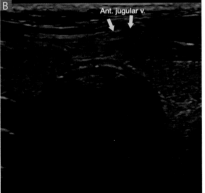

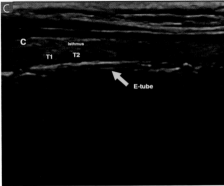

그림 5-6. 초음파를 이용한 위치 확인. (A) 기관의 위치 및 깊이 확인(갑상선 협부 중간 부위), 전경부 정맥 확인(B), 윤상연골과 기관 이행부 및 삽관 튜브의 확인(C)

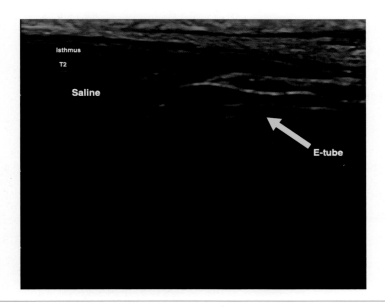

그림 5-7. 삽관 위치 변경.

삽관 튜브는 초음파에서 기도 연골 심부에 double linear hyperechogenecity로 확인할 수 있고, 잘 확인이 안되는 경우에는 생리식염수를 풍선확장하여 저음영의 풍선을 기도 내부에서 관찰하는 것이 도움이 된다.[6]

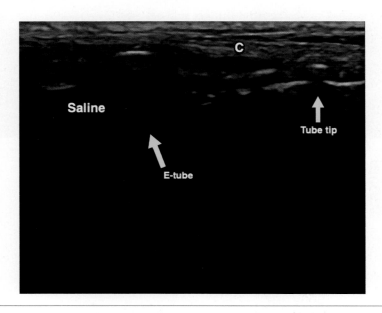

그림 5-8. 튜브 팁 위치: 윤상 연골 하방과 1 기관륜 사이 위치를 확인

경부가 신전된 상태에서는 튜브의 끝이 기관 연골을 앞쪽으로 밀게 되어, 튜브 위치를 조정하면서 끝의 위치를 파악한다. 아울러 앞니에서의 삽관 깊이는 남성은 18 cm, 여성의 경우 17 cm 정도에서 기관 절개 위치의 상방에 튜브의 끝이 위치하게 되어 도움이 된다.[7] 이후 풍선확장을 시행하여 고정한다.

2) 시술

초음파 미세 세침 검사와 유사하나 introducer needle을 미리 확인한 전경부 혈관 천자에 주의하면서 axial plane에서 연골막의 정중앙을 천자한다. 연골막 천자 시 딸깍임이 손에 느껴지면, saline-filled 주사기를 흡인하여 공기 누출을 확인한 후 바늘의 깊이를 손으로 잡아 고정하고 다른 손으로 guidewire를 삽입하고 바늘을 제거한다. 천자 이후에 추가적으로 바늘 삽입에 저항이 느껴지면 삽관 깊이를 조금 얕게 해야 하며, guidewire 삽입에 저항이 많이 필요하거나 꼬임(kinking)이 느껴지면 모두 제거하고 다시 초음파 유도하에 기관 천자를 시행한다. 성공적인 천자 후에 1.5 cm 정도 피부 절개를 시행하고 PDT kit에 따라 순차적으로 확장하거나, forceps를 이용하여 확장을 시행한다. 기관절개관의 loading dilator의 중앙부 구멍에 guidewire를 연결 및 삽관하여 시술을 마치고, 이동형 flexible fibroscope이 있다면 기관절개관을 통해 성공적인 삽관을 확인한다.

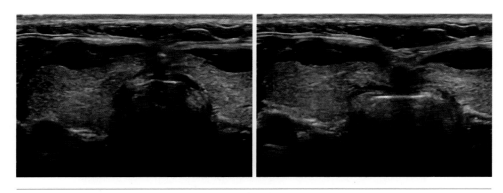

그림 5-9. 초음파 유도 기관 천자 및 동영상

Tips & Pearls

Basic

- 초음파 linear probe의 세로 길이가 1 cm 정도로 axial plane에서 위쪽 끝이 cricoid 하면에 닿게 하면서 약간 아래 방향으로 틀면 적절한 기관절개 위치 확인에 용이하고, 상부 기관절개술을 방지할 수 있다.
- 기관 천자 후 바늘을 잘 고정해야 기관–식도 누공을 방지할 수 있다.
- 전염병 확산 방지가 필요한 경우 시술전 4분 정도 산소분압을 높여 환기, 기침 반사 억제를 위한 근 이완제 사용 및 무호흡으로 시술을 진행한다.

Advanced

- 기도 삽관 위치 조정 후 다시 ballooning을 하면 위치가 깊어질 수 있어, 시술 중 저항이 느껴지면 언제든 위치를 다시 조정해야 한다.
- 출혈이 심하지 않은 경우 대부분 박리 범위가 넓지 않아서 T–Tube로 인해 압박 지혈이 된다.
- 대량 출혈이 있는 경우 당황하지 말고, 위치를 조정했던 tube를 시술전 깊이로 위치시키고 balloon 한 후 절개 부위를 관찰하여 지혈한다.

3

초음파 유도 보툴리눔 독소 주입술
(Ultrasound Guided Botulinum Toxin Injections)[8-11]

인체내 보툴리눔 독소 주입은 미용 목적으로 많이 사용되지만, 침샘 질환에 대한 치료 목적의 주입도 최근 많이 사용되고 있다. 기존에는 drooling과 같은 질환에서 제한적으로 사용되다가, 침샘비대나 침샘염, 침샘절제술 이후 sialocele과 같은 다양한 적응증으로 그 범위를 확대해 가고 있다. 비교적 시술이 간단하고, 부작용이 적으며, 보툴리눔 독소의 장점이자 단점이라 할 수 있는 효과 지속 기간의 유한함이 초심자에게도 그 치료를 쉽게 시도할 수 있게 한다. 이하선과 악하선에 대한 초음파 유도 보툴리눔 독소 주입술에 대해 소개하고자 한다.

1) 시술준비

시술은 초음파로 해당 침샘의 종양성 병변이나 타석 등의 소견이 없는 것을 확인한 후 진행한다. 또한 보툴리눔 독소 주입전 침샘 주변과 침샘 안쪽의 주요 혈류를 파워도플러를 통해 확인한다. 초음파 트랜스듀서에 무균 비닐 커버를 씌운다. 이하선 한 쪽당 보툴리눔 독소 50-100단위를 4 mL 생리식염수에 혼합하여 주입할 수 있도록 준비한다. 악하선 한 쪽당 보툴리눔 독소 50단위를 3 mL 생리식염수에 혼합하여 주입할 수 있도록 준비한다. 침샘내 주입 시에는 26G needle이 사용된다.

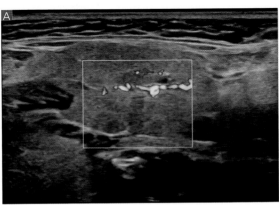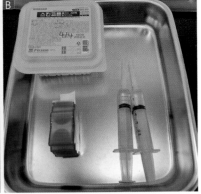

그림 5-10. 시술준비. 초음파 파워도플러를 통한 침샘 주변 및 침샘내 혈관 확인(A), 보툴리눔 독소 50단위를 4 mL 생리식염수에 혼합/26G X 13 mm needle로 주입(B)

2) 시술

환자를 초음파 기계 우측의 침대에 앙와위로 눕게 한다. 이하선 주입 및 악하선 주입 모두, 우측 주입의 경우 환자의 고개를 좌측으로 돌리고, 좌측 주입의 경우 그 반대로 시행한다. 이하선 주입술의 경우 귀 앞 쪽과 하악각 뒤 쪽을 주입 위치로 잡아, 피부를 알코올솜으로 소독한다. 악하선 주입술의 경우 악하선의 융기된 실루엣을 확인하고, 소독한다. 침샘 보툴리눔 독소 주입 시 부분마취 없이 진행이 가능하다. 초음파를 보면서 초음파 트랜스듀서에 vertical한 방향으로 주사 바늘을 찔러 주입부가 초음파 화면의 중앙부위에 위치하도록 한다. 약 3-4 mL의 주입액을 5-10초에 걸쳐 천천히 주입하며, 주입될 때 초음파 화면상 주입액이 목표 부위에 주입되는 것을 확인한다. 주입 후 주입 부위를 알코올솜으로 소독하고, 밴드를 붙인다.

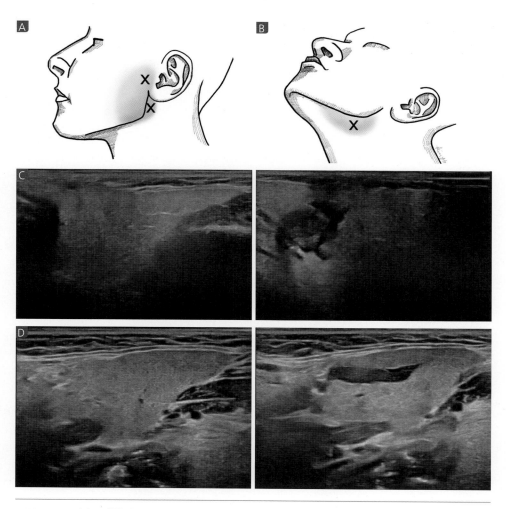

그림 5-11. 시술. 이하선 주입 부위(A), 악하선 주입 부위(B), 이하선 주입 전/후(C), 악하선 주입 전/후(D)

Tips & Pearls

Basic

– 이하선 주입 시 이하선 한쪽 당 보툴리늄 독소 50–100단위를 4 mL의 생리식염수에 혼합하여 주입한다. 증상의 경중에 따라 독소의 용량을 조절한다.
– 악하선 주입 시 악하선 한쪽 당 보툴리늄 독소 50단위를 3 mL의 생리식염수에 혼합하여 주입한다.
– 이하선과 악하선 주입 모두, 주입액이 침샘 실질의 중앙 부위에 들어갈 수 있도록 해야 효과가 좋고, 부작용이 없다. 이때 침샘내 혈관으로의 주입이 되지 않도록 주의한다.

Advanced

– 환자에게 보툴리눔 독소의 효과는 주입 후 2달경 최대가 되며, 6달경 효과가 감소하여, 재주입이 필요할 수 있음을 설명한다.
– 이하선 주입의 경우 부작용의 가능성은 드물지만, 악하선 주입의 경우 삼킴 기능의 일시적 감소 가능성이 있어, 시술전 환자에게 설명해야 한다.

참고문헌

1. Harari A, Sippel RS, Goldstein R, et al. Successful localization of recurrent thyroid cancer in reoperative neck surgery using ultrasound-guided methylene blue dye injection. J Am Coll Surg 2012;215:555-61.

2. Kwon H, Tae SY, Kim SJ, et al. Role of charcoal tattooing in localization of recurred papillary thyroid carcinoma: initial experiences. Ann Surg Treat Res 2015;88:140-4.

3. Gobatto ALN, Besen B, Cestari M, et al. Ultrasound-guided percutaneous dilational tracheostomy: a systematic review of randomized controlled trials and meta-analysis. J Intensive Care Med 2020;35:445-52.

4. Freeman BD, Isabella K, Lin N, et al. A meta-analysis of prospective trials comparing percutaneous and surgical tracheostomy in critically ill patients. Chest 2000;118:1412-8.

5. Ravi PR, Vijay MN. Real time ultrasound-guided percutaneous tracheostomy: is it a better option than bronchoscopic guided percutaneous tracheostomy? Med J Armed Forces India 2015;71:158-64.

6. Lin CH, Yang SM, Chiang XH, et al. Ultrasound-guided percutaneous dilatational tracheostomy using a saline-filled endotracheal tube cuff as an ultrasonographic puncture target: A feasibility study. J Crit Care 2018;48:112-7.

7. Kang HT, Kim SY, Lee MK, et al. Comparison between real-time ultrasound-guided percutaneous tracheostomy and surgical tracheostomy in critically ill patients. Crit Care Res Pract 2022;2022:1388225.

8. Ellies M, Laskawi R, Rohrbach-Volland S, et al. Botulinum toxin to reduce saliva flow: selected indications for ultrasound-guided toxin application into salivary glands. Laryngoscope 2002;112:82-6.

9. Alvarenga A, Campos M, Dias M, et al. BOTOX-A injection of salivary glands for drooling. J Pediatr Surg 2017;52:1283-6.

10. Graillon N, Le Roux MK, Chossegros C, et al. Botulinum toxin for ductal stenosis and fistulas of the main salivary glands. Int J Oral Maxillofac Surg 2019;48:1411-4.

11. Strohl MP, Chang CF, Ryan WR, et al. Botulinum toxin for chronic parotid sialadenitis: a case series and systematic review. Laryngoscope Investig Otolaryngol 2021;6:404-13.

SECTION

6

경부 연조직 종괴
Soft Tissue Mass

이형신, 장재원

경부 연조직 종괴의 진단은 병력청취와 이학적 검사를 기반으로 이루어지며, 임상의사가 이를 바탕으로 외래에서 직접 초음파 검사를 시행함으로써 진료실에서 비교적 쉽게 진단에 이를 수 있다. 경부 림프절 비대를 제외한 각종 경부 연조직 종괴의 초음파 영상특징을 숙지해두면 외래 진료의 효율성을 크게 향상시킬 수 있다.

1

선천성 종괴
(Congenital neck mass)

1) 갑상설관낭종(Thyroglossal Duct Cyst)

갑상설관낭종은 설근부에서부터 갑상설관의 주행 경로에 해당하는 경부의 중앙부에서 관찰될 수 있으며 설골하부에 있는 경우가 가장 흔하다. 설골의 전방 또는 후방에서 설골과 접해 있는 경우가 많으며 한쪽으로 약간 치우쳐 있는(paramedian) 경우도 있다(그림 6-1, 6-2). 감염이 없는 경우 후방의 에코 증강(acoustic enhancement)이 있는 무에코(anechoic) 혹은 저에코(hypoechoic) 종물로 관찰되며 도플러나 미세혈류영상에서 혈류가 관찰되지 않는다(그림 6-3). 그러나, 감염의 기왕력이 있거나, 출혈 혹은 내부에 단백질 성분이 많은 경우 내부에 다양한 에코 패턴이 동반될 수 있으며, 낭종이 lobulated되거나 격막으로 나누어지는 경우도 있다. 내부에 불균일한 에코나 미세석회화가 관찰되는 조직이 관찰되면 갑상선암의 가능성을 고려하여 세침흡인검사가 필요할 수 있다(그림 6-4).

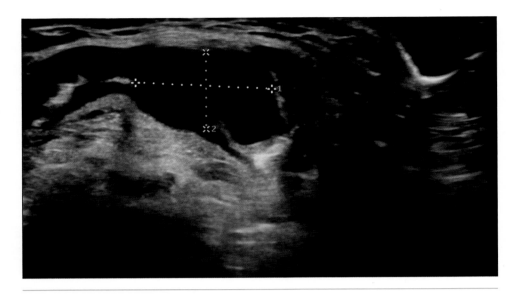

그림 6-1. 설골 후방에 있는 갑상설관낭종. 설골 후방에 약 1.4 cm 크기의 경계가 분명한 저에코 낭종이 관찰된다.

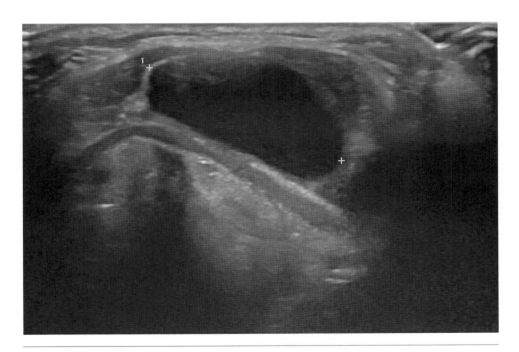

그림 6-2. 갑상설관낭종. 양측 피대근 심부에 경계가 분명한 저에코 낭종이 갑상연골의 좌측 전방에 관찰된다.

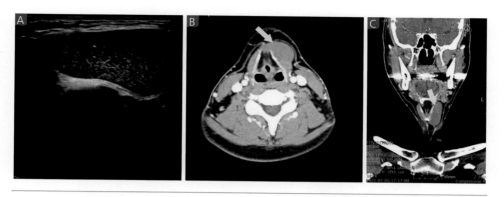

그림 6-3. 갑상설관낭종. A: 낭성종괴 내부에 proteinaceous debris로 인한 internal echo가 관찰된다. B, C: 조영증강 neck CT에서 연조직 종괴가 관찰되며(화살표) 내부에 조영증강되는 병변은 관찰되지 않는다.

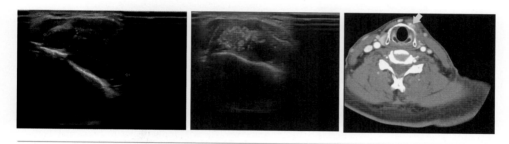

그림 6-4. 갑상설관암. 갑상연골 좌측 전방에 관찰되는 낭성종괴가 관찰되며 종괴 내부에 불균질하고 경계가 불규칙한 echogenic lesion이 함께 관찰된다. 이 병변은 조영증강 단층촬영에서 조영증강된다(화살표 머리).

2) 새열낭종(Branchial Cleft Cyst)

새열낭종의 대부분을 차지하는 제2형 새열낭종은 흉쇄유돌근의 전방의 심부, 경동맥의 외측에 위치한다. 경계가 분명한 원형 또는 타원형 낭종의 내부에 체액이 차있으므로 후방의 에코 증강(acoustic enhancement)이 관찰되는 저에코 소견을 보인다(그림 6-5, 6-6). 낭종의 감염 시 낭종의 벽이 두꺼워지며 도플러영상에서 혈관이 증가할 수 있다. 갑상선 부위에서 낭종의 감염이 반복되는 경우 제4형 새열낭종을 의심해 볼 수 있다(그림 6-7, 6-8). 갑상선암을 포함한, 악성종양의 낭성 림프절전이와 감별이 필요하다(그림 6-9).

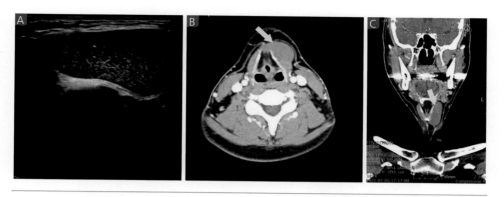

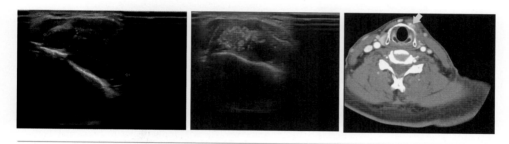

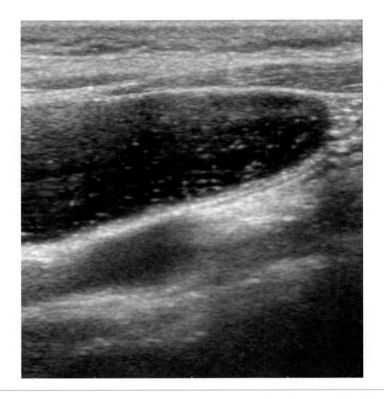

그림 6-5. 제2형 새열낭종. 경계가 분명한 저에코 낭종과 후방의 에코증강이 관찰된다.

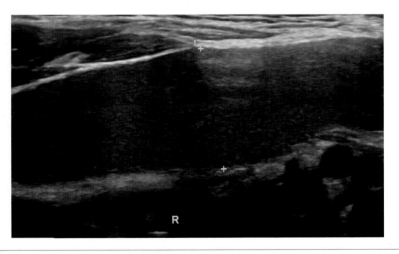

그림 6-6. 제2형 새열낭종(우측). 흉쇄유돌근과 경동맥 사이에 위치한 저에코의 낭성 종물과 후방의 에코 증강이 관찰된다.

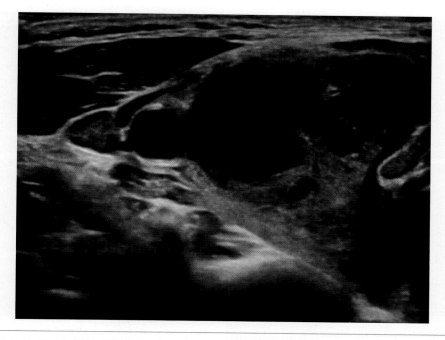

그림 6-7. 제4형 새열낭종(우측 갑상선). 우측 갑상선 부위 압통으로 내원한 환자의 초음파 영상에서 경계가 불규칙하며 내부에 격벽이 있는 낭종이 관찰된다.

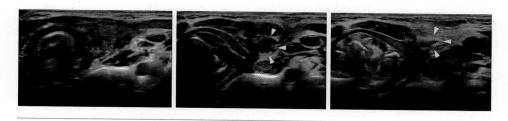

그림 6-8. 제4형 새열낭종(좌측 갑상선). 좌측 갑상선 부위 압통으로 내원한 환자의 초음파 영상에서 좌측 갑상선 상부에 경계가 불규칙한 염증을 동반한 낭종이 관찰되며 좌측 하인두 부위와 연결될 것으로 생각되는 tract이 관찰된다(화살표 머리).

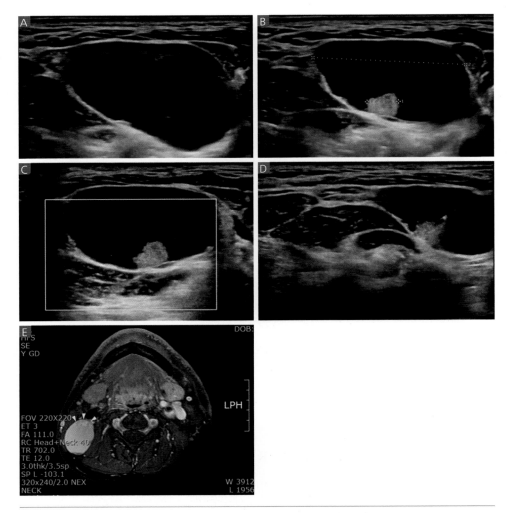

그림 6-9. 제2형 새열낭종으로 오인된 갑상선암의 전이성 림프절. 우측 경부 level II-III 경계부위에 약 3 cm의 낭성종괴가 관찰되며(A), 내부에 약 0.7 cm 정도 되는 고형성 종괴가 관찰되었으며(B), 도플러영상에서 혈류는 관찰되지 않음(C). 고형성 종괴를 포함하여 liquid based cytology 결과 malignancy cell은 negative로 report되었고(D), 수술 전 시행한 T1 weighted enhanced MRI에서 3.5 x 2.6 x 4 cm 크기의 cystic mass가 관찰되며 초음파에서 관찰되던 intramural nodular lesion은 조영증강(화살표 머리)되어 제2형 새열낭종을 의심하여 수술을 진행하였고 병리 결과에서 갑상선 유두암의 림프절 전이로 확인되었으며, 우측 갑상선에서 BRAF mutation을 동반한 유두암과 중심림프절 전이를 확인(E)

3) 림프관종(Lymphatic Malformation)

림프관종은 경계가 후방 에코 증강을 동반한 저에코 병변으로 관찰되며 내부에 얇은 격막으로 나뉘어져 크기가 다른 여러 개의 구획으로 관찰될 수 있다(그림 6-10~6-12). 종괴의 벽은 얇고 도플러영상에서 혈류가 거의 관찰되지 않는다.

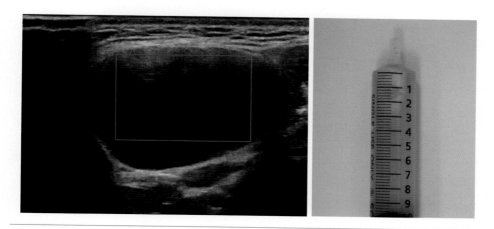

그림 6-10. 우측 경부의 림프관종. 경계가 명확한 저에코 종물로 후방에 에코 증강이 관찰되며, 도플러영상에서 혈류는 관찰되지 않는다. 세침을 이용하여 흡인하였을 때, serous, yellowish fluid가 흡인되는 점에서 plunging ranula와 구별이 가능하다.

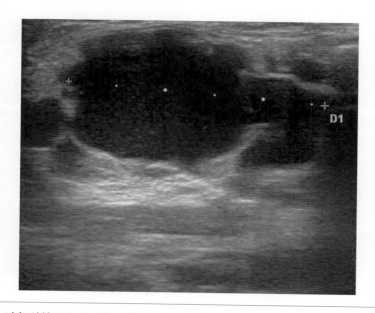

그림 6-11. 좌측 악하부의 림프관종. 경계가 불분명한 저에코 종물로 후방에 에코 증강이 관찰된다.

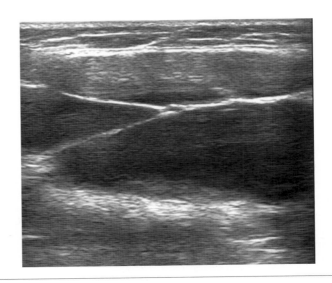

그림 6-12. 격막이 관찰되는 림프관종. 우측 경부의 낭종성 종물의 내부에 echogenic한 얇은 격막이 관찰되며 여러 개의 구획으로 나뉜 림프관종이 관찰된다.

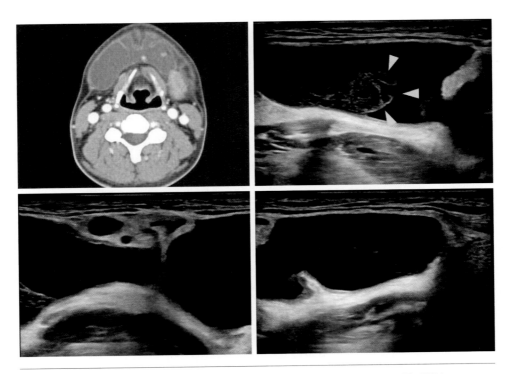

그림 6-13. 염증을 동반한 림프관종. Submandibular 및 submental space를 채우는 macro-cystic lymphatic malformation이 관찰되며, 염증으로 인하여 CT와 초음파에서 wall thicken-ing이 관찰되며, 초음파에서는 내부에 echogenic debris(화살표 머리) 관찰된다.

4) 혈관기형(Vascular Malformation)

대부분 불균일한 저에코성(heterogeneously hypoechoic)으로 구불구불한 무에코성 공간으로 인해서 경계가 불명확하게 관찰되는 경우가 많다. 내부에 posterior acoustic shadowing을 보이는 echogenic phlebolith가 특징적이다. 혈전이 차있거나, 혈류가 느리기 때문에 도플러영상에서는 대부분 내부에 혈류가 관찰되지 않는다(그림 6-14).

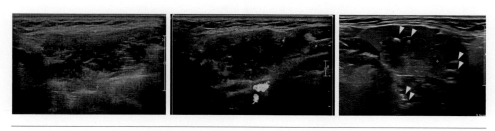

그림 6-14. 좌측 이하선부위 혈관기형. 비교적 경계가 불명확한 저에코성 병변이 관찰되며, 도플러영상에서 내부에 혈류는 관찰되지 않고, phlebolith가 다수 관찰된다(화살표 머리).

5) 이소성 흉선(Ectopic Thymus)

비교적 경계가 명확하며, 특징적으로 림프조직과 지방이 별이 있는 하늘 모양(starry sky appearance)으로 관찰된다(그림 6-15, 6-16). 흉선은 매우 부드러워 주변 조직을 압박하거나 이동시키지 않는 것이 감별점이다.

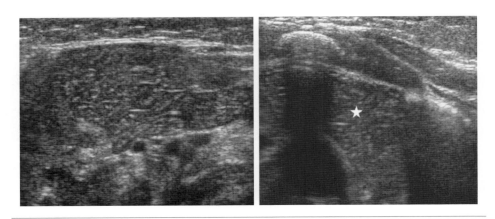

그림 6-15. 이소성 흉선. Starry sky appearance을 전형적으로 관찰할 수 있다.

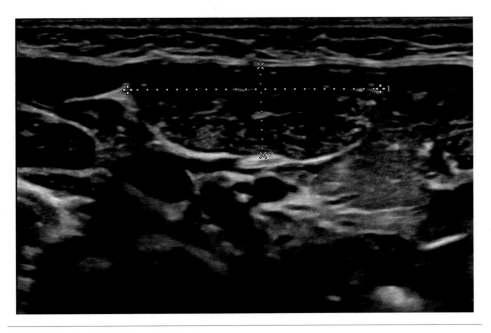

그림 6-16. 이소성 흉선. 우측 경부 level III에 경계가 명확하며 주변 조직을 밀거나 압박하지 않는 종괴가 관찰되며 전체적으로 저에코로 관찰되며 내부에 echogenic punctuation으로 starry sky appearance가 관찰된다.

2

기타 연조직 종괴
(Other soft tissue neck mass)

1) 하마종(Ranula)

하마종(ranula)은 설하선이나 악하선에서 유출된 점액에 의하여 생기는 점액 낭종의 일종으로, 발생위치에 따라서 구강 하마종(oral ranula)과 경부 하마종(plunging ranula)으로 분류하며 동시에 존재하는 경우(mixed type)도 있다. 초음파에서는 악하선 주위에 경계가 명확한 낭종성 에코를 보이게 되며(그림 6-17), 흡인할 경우 점성이 높은 노란색 점액이 흡인되는 점이 림프관기형에서 수양성 액체가 흡인되는 것과 구별된다.

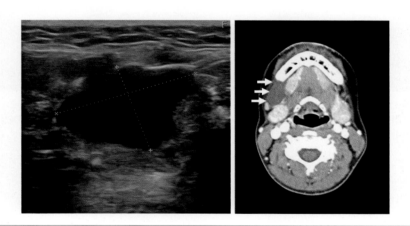

그림 6-17. 경부 하마종(우측). 우측 악하선 앞부분(preglandular area)에 경계가 명확하며 lobulating하는 무에코성 낭종이 관찰된다(화살표).

2) 지방종(Lipoma)

　지방종은 경부 어느 부위에도 발생할 수 있지만 경부의 후방과 턱밑에서 흔하게 관찰된다. 경계가 분명한 매우 얇은 피막에 쌓여 있는 방추형(elliptical shape) 종물이며 내부는 75%에서 hyperechoic하나 25%에서는 iso/hypoechoic한 경우도 있다. 피부 내부에 평행한 multiple echogenic line이 feathered 또는 stripped echo 소견을 보이는 것이 특징이다(그림 6-18). 일반적으로 종괴 내부의 혈행이 많지 않아 도플러에서 혈관들이 잘 관찰되지 않는다.

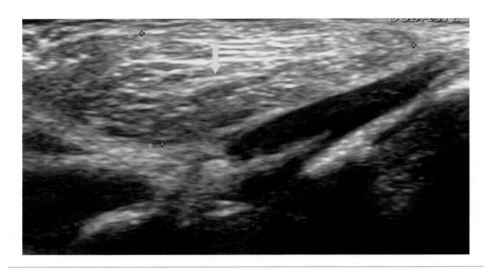

그림 6-18. 경부 지방종. 경계가 분명한 방추형의 종괴 내부에 여러 개의 echogenic line(화살표)이 관찰된다.

3) 신경원성 종양(Neurogenic Tumor)

경부의 신경원성 종양(신경초종)은 주로 미주신경과 경부 교감신경줄기에서 발생한다. 경계가 분명한 방추형의 저에코 종물로 관찰되며 후방 에코 증강도 흔하게 관찰된다. 기원하는 신경 부위가 비후되어 관찰될 수 있다. 미주신경 기원의 종양인 경우 경동맥과 내경정맥 사이에 위치하여 두 혈관을 각각 내측과 외측으로 밀고 있는 양상을 보이는 반면(그림 6-19), 교감신경줄기 기원인 경우 경동맥의 후방 내측에 주로 위치하여 경동맥을 전방 외측으로 미는 양상을 보인다(그림 6-20, 6-21).

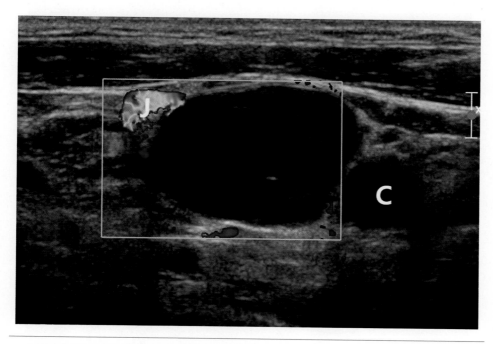

그림 6-19. 미주신경 기원의 신경초종(우측). 저에코의 종물이 총경동맥(C)와 내경정맥(J) 사이에 위치하고 있다.

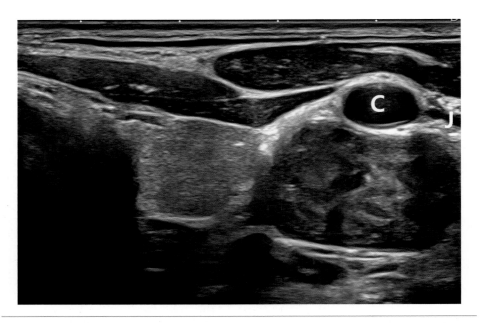

그림 6-20. 교감신경줄기 기원의 신경초종(좌측). 종물이 총경동맥(C)과 내경정맥(J)을 전방 외측으로 밀고 있다.

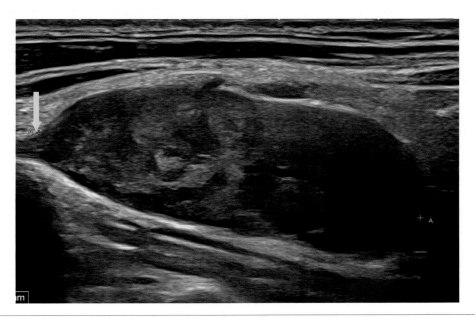

그림 6-21. 교감신경줄기 기원의 신경초종(종단영상, 좌측). 방추형 종괴가 기원하는 신경의 연결부위가 비후된 소견이 확인된다(화살표).

4) 유피낭종(Epidermoid Cyst)

비교적 균일한 내부에코를 가지는 경계가 명확한 타원형의 종괴로 관찰되며, 내부의 keratin debris로 인하여 'pseudo solid' 패턴이 특징적이다. 세침흡인 시 whitish keratin material이 관찰된다(그림 6-22, 6-23).

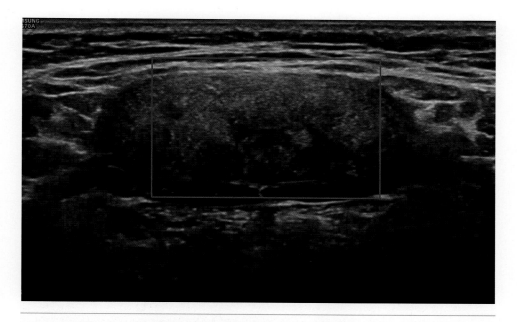

그림 6-22. 턱밑에 발생한 유피낭종. 경계가 명확한 종괴가 관찰되며, 내부에 keratin debris로 인하여 pseudo-solid pattern이 관찰되고 도플러영상에서 내부에 혈류는 관찰되지 않는다.

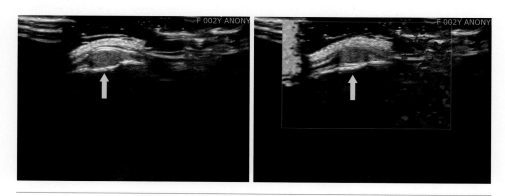

그림 6-23. 후경부의 유피낭종. 경계가 명확하고 타원형의 종괴가 관찰되며, 내부에는 keratin debris로 인하여 균일한 에코(uniform echo)가 형성되어 pseudo solid pattern이 관찰된다(화살표).

5) 섬모기질종(Pilomatrixoma)

섬모기질종은 모낭으로부터 유래하는 비교적 드문 양성피부종양으로 성회화를 함유한 경계가 분명한 종괴로 피하층에 생기고 국소절제로 치료가 되며 재발이 거의 없는 것으로 알려져 있다. 초음파에서 주위 근육의 에코에 비하여 경계가 명확한 저에코 종괴로 관찰되며, 내부에 광대한 모래와 같거나 조밀한 석회화를 보인다(그림 6-24, 6-25).

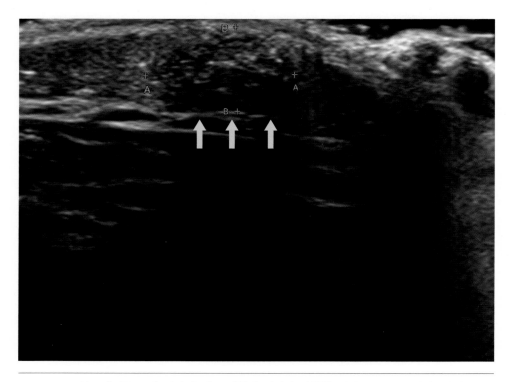

그림 6-24. 섬모기질종. 6세 남아가 뒷목 피하에 경계가 명확한 저에코 종괴로 내원하였다. 종괴 내부에 광범위한 석회화로 인하여 posterior acoustic shadowing이 관찰된다(화살표).

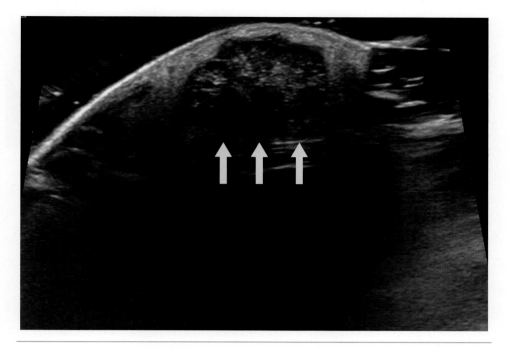

그림 6-25. 섬모기질종. 좌측 뒷목 피하에 경계가 명확하며 lobulating 하는 약 2.3 X 1.3 cm 크기의 hypoechoic mas가 관찰되며, 내부에 조밀한 석회화가 관찰되고, 이로인한 posterior acoustic shadowing이 관찰된다(화살표).

3

심부경부감염
(Deep neck infection)

　심경부 감염에서는 경부가 염증으로 인하여 연부조직이 두꺼워져 있기 때문에 염증이 없는 경우보다, 비교적 심부의 병변을 관찰하기 어렵고, 해부학적 구조를 정확하게 관찰하기 어려운 경우가 많다. 그러나, cellulitis 혹은 phlegmon change와 배농이 필요한 abscess를 감별하는 데 우수하며, 특히 소아에서는 진정없이 선별검사를 할 수 있으며, 진단과 동시에 배농시술을 할 수 있다는 점에서 장점이 있다. 초음파에서는 일반적으로 불규칙한 저에코 혹은 무에코성 병변으로 관찰되며, hypervascular rim 내부에는 avascular fluid collection이 동반된다. 종종 내부에 echogenic protein-lipid contents 및 debris가 관찰되며, 이는 compression에 의해서 잘 이동된다(그림 6-26~6-28).

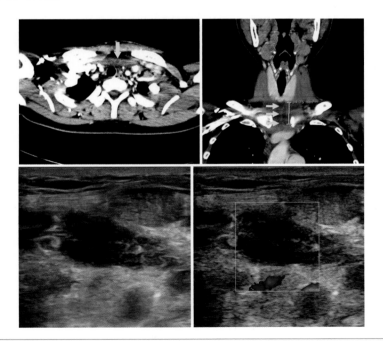

그림 6-26. 갑상선 하부에 발생한 심경부감염. 조영증강 단층촬영의 axial view에서 좌측 갑상선 하부에 국소적으로 wall-enhance가 되는 hypodensity lesion이 관찰되며, coronal view에서 약 3.5 cm 길이로 관찰된다(화살표). 이 병변은 초음파에서 경계가 irregular하고, hypoechoic하게 관찰되며, 도플러영상에서 주변에 비해 내부에 혈류는 관찰되지 않는다.

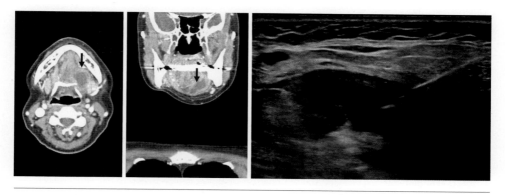

그림 6-27. 구강저에 발생한 심경부감염. 좌측 구강저 공간에 설골 근처까지 닿는 abscess pocket(화살표)이 관찰되며 초음파상에서 well-defined irregular margin을 가지는 병변으로 aspiration 및 항생제 치료를 통해 I&D없이 호전되었다.

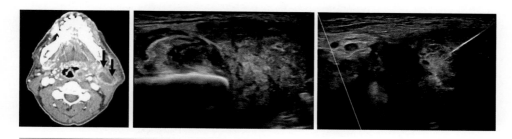

그림 6-28. 이하선 공간에 발생한 심경부감염. 좌측 이하선 공간에 wall-enhance를 동반한 abscess pocket이 관찰되며(화살표), 초음파상에서 다량의 echogenic debris를 동반한 hypoechoic lesion으로 aspiration (18G)하였을 때 debris가 needle을 통하여 abscess와 함께 배출되었다.

Tips & Pearls

Basic
- 면밀한 병력청취와 이학적 검사가 뒷받침된 초음파 검사는 경부의 연부조직 종괴를 감별하는 데 매우 효율적이다.
- 초음파에서 낭성(cystic)인지 고형(solid)인지 구별한 뒤 위치, 경계, 내부의 echogenic foci, calcification 동반 여부, vascularity 등을 고려하면 많은 경우 감별진단이 가능하다.

Advanced
- Branchial cleft cyst, lymphatic malformation과 plunging ranula는 aspiration 내용물의 양상에 차이가 있어 감별에 도움이 된다.
- 낭성 종물(갑상설관낭종) 내에 고형 병변이 관찰되는 경우, 세침흡인검사를 통해 악성 종물의 가능성을 배제하는 데 도움을 받을 수 있다.
- Hemangioma와 pilomatrixoma는 calcification의 양상과 phlebolith 동반 여부에 따라서 감별이 가능하다.
- 경부 종물이나 연부조직질환에 대한 흡인술, 세침흡인검사, 총생검과 같은 진단적 술기를 진행하기 전 항상 도플러영상을 확인하여 종괴 주위와 내부의 혈류 양상을 파악하여 혈관 손상을 예방하는 것이 필요하다.

참고문헌

1. Ahuja A. Diagnostic ultrasound: head and neck. 2nd ed. Elsevier; 2019.
2. Orloff LA. Head and neck ultrasonography: essential and extended applications. 2nd ed. Plural Publishing; 2017.
3. Welkoborsky HJ, Jecker P. Ultrasonography of the head and neck. Springer; 2019.
4. Choi HI, Choi YH, Cheon JE, et al. Ultrasonographic features differentiating thyroglossal duct cysts from dermoid cysts. Ultrasonography 2018;37:71-7.
5. Valentino M, Quiligotti C, Carone L. Branchial cleft cyst. J Ultrasound 2013;16:17-20.
6. Bozzato A. Interpretation of ultrasound findings in otorhinolaryngology: skin, soft tissue of the neck, lymph nodes, and oncologic follow-up. HNO 2015;63:139-54.
7. King AD, Ahuja AT, King W, et al. Sonography of peripheral nerve tumors of the neck. AJR Am J Roentgenol 1997;169:1695-8.
8. Giovagnorio F, Martinoli C. Sonography of the cervical vagus nerve: normal appearance and abnormal findings. AJR Am J Roentgenol 2001;176:745-9.
9. Wu S, Liu G, Tu R. Value of ultrasonography in neurilemmoma diagnosis: the role of round shape morphology. Med Ultrason 2012;14:192-6.
10. Kumar S, Prakash V, Kumar V. Dumbbell-shaped lymphangioma of neck and thorax. Natl J Maxillofac Surg 2014;5:90-2.
11. Wee T, Lee AF, Nadel H, et al. The paediatric thymus: recognising normal and ectopic thymic tissue. Clin Radiol 2021;76:477-87.

SECTION **7**

초음파 유도 세침흡인검사와 중심부바늘생검

은영규, 강희진 (그림 김용범)

1

초음파 유도시술
(FNA/CNB)

　초음파 유도 생검(Image-guided percutaneous biopsy)은 지난 20년 동안 임상적으로 그 사용이 증가해왔다. 이전 연구들에서는 영상을 이용한 검사가 그렇지 않은 검사에 비해서 우수하다고 밝혀진 바 있다.[1,2] 또한 경부 절제술과 같은 수술적 방법에 비하여 위험성과 비용 면에서 더 우수하다는 보고들이 있었다.[3,4] 두경부 영역에서 주로 사용하는 이러한 영상 유도 조직검사 방법에는 대표적으로 초음파 유도 세침흡인(fine needle aspiration) 방법과 중심부바늘생검(core needle biopsy)이 있다. 이는 외래 진료를 기반으로 시행할 수 있는 최소 침습적이면서 안전한 술기로 알려져있다. 또한 실시간으로 초음파를 이용하여 정확히 병변을 확인하면서 검사를 수행할 수 있기 때문에 만져지지 않는 작은 병변에도 시행할 수 있는 장점이 있다.

　CT나 MRI 등의 다양한 영상학적 기술의 큰 발전에도 불구하고 아직 두경부 영역의 악성과 양성병변을 정확히 구분하고 진단하는 데는 한계가 있다. 따라서 이에 대한 조직검사가 필요한 경우가 발생하게 된다. 이때 초음파를 이용한 FNA와 CNB가 이용되는데 임파선병변에 대해서는 보통 (1) 비정상 림프절의 진단 목적 (2) 감염 의심 환자에 대한 세균 배양 및 미생물학적 검사 (3) 악성 종양의 병기 설정 (4) 수술 후 재발 혹은 원격 전이 평가 (5) 임상시험 영역에서 새로운 생물표지자에 대한 재료 채취 등이 그것이다.

　따라서 환자의 병력을 이해하고 이러한 경우에 부합하는지를 판단하는 것이 적합한 조직검사 방법과 수행방법을 결정하는데 중요하다. 예를 들어 기저에 여러 장기에 악성 종양의 과거력이 있는 환자의 경우 종양의 기원을 감별하기 위한 면역조직화학염색법이나 분자생물학적 실험을 위해서는 충분한 양의 검체가 필요하게 때문에 CNB가 더 적합할 수 있겠다. 또는 SCC(squamous cell carcinoma)나 PTC (papillary thyroid carcinoma)와 같은 악성 종양이 이미 진단된 환자에서 전이성 림프절을 확인하고자 하는 상황에서는 FNA만으로도 원하는 결과를 얻을 수 있다. 이와 같이 상황과 목적에 따라 어떤 방법으로 조직검사를 시행할 수 있을지 결정하게 된다.

1) 시술 전 준비사항

(1) 환자 주의사항

초음파 유도 조직검사를 시행할 때는 그 위치가 대부분 표면적이고 비교적 작은 바늘을 사용하기 때문에 이는 출혈의 위험성이 아주 높은 검사는 아니다.[5] 그렇기 때문에 검사를 하기 전에 출혈의 위험도를 꼭 알아봐야 하는지에 대한 기준은 정해져 있지 않다. 하지만 모든 검사를 하기 전 환자의 출혈 소인을 확인하고 약물 복용 여부를 확인하는 것은 중요하다. 또한 검사하고자 하는 부위가 깊은 경우, CNB를 해야 하는 경우, 출혈의 위험이 높은 환자에서는 혈액검사를 통해 출혈 위험성을 평가하고, 항응고제나 항혈소판제의 일시적인 중단을 고려해야 한다. 많은 가이드라인에서는 와파린 복용 혹은 간질환이 있는 환자에게서는 INR (international normalized ratio)을 확인하고 클로피도그렐과 therapeutic dose low molecular weight heparin의 경우는 시술 전 3-5일 정도 복용중단을 권고하고 있다.[6] 검사 시 환자의 진정(sedation) 유무는 정해져 있지 않으며, 검사 후 식이 여부, 입원 필요성 여부와 같은 것에 대해서도 공식적인 가이드라인은 정해져 있지 않다.

(2) 검사 전 동의서 작성

사전 동의서 작성은 검사 시행 전에 꼭 필요하다. 또한 반드시 사전에 환자에게 이 검사는 병변의 전체를 보는 것이 아닌 일부를 보는 검사라는 것을 이해시키는 것이 중요하다. 가는 바늘을 통해 하는 검사이므로 실제 진단을 위해 필요한 부분을 놓치기 쉽고 병변의 크기나 성상, 위치에 따라서도 실패율이 1-5%는 되기 때문이다. 또한 환자에게 검사에 대한 목적, 장점, 방법, 한계, 부작용 등의 정보가 포함된 팜플렛을 제공하는 것이 추천된다.

2) 검사할 병변의 선택(Selection of target)

검사를 시행할 림프절은 이전 영상 검사에서 보이는 소견을 참고하여 위치, 형태를 보고 의미가 있을 만한 병변을 선택해야한다. 통상적으로 크기, 모양, 경계, 에코 정도, 혈관 분포 정도, 조영 증강의 유무, 위치, 석회화, PET uptake 정도, 크기증가율 등이 그 요소들이다. 비정상 소견을 보이는 림프절이 여러 개라면 어떤 림프절이 검사를 시행하기에 적합한지는 보통 위치에 따라 좌우되고 특히 주변 혈관과의 관계가 이에 영향을 준다. 이때 검사자와 검사 의뢰자 간에 소통이 중요하며 이비인후과 의사의 경우 직접 시행하는 경우가 많기 때문에 이부분에 있어서 이해가 용이하다.

검사를 하기에 적합한 림프절의 크기는 림프절의 위치와 검사자의 경력에 따라 좌우된다. 보통 6 mm 이하의 림프절을 검사하게 되면 비진단적(nondiagnostic) 결과가 나오거나 불만족

스러운 검체량을 얻게 될 가능성이 높아진다고 알려져 있다.[3] 또한 검사를 시행할 림프절을 정할 때는 환자의 병력과 검사의 목적에 따라 그 기준이 달라질 수 있다.

먼저, 진단된 암병력이 없는 환자의 경우에는 가장 악성도 있다고 의심되는 림프절 중에 접근하기에 안전하고 쉬운 림프절이 보통 선택된다. 어떤 림프절이 가장 악성도가 의심되는지는 이전에 시행한 영상검사를 통해 확인할 수 있다.

다른 예로, 이미 암이 진단된 환자에게서 병기를 설정하는 경우에는 가장 악성도가 높은 소견의 림프절이나 가장 큰 림프절을 선택해야 할 필요는 없다. 이때 검사자는 두경부 종양의 일반적인 림프절 배액 경로에 대한 이해가 필요하다. 예를 들면, 갑상선 암 환자의 경우 명백하게 악성소견을 보이는 중심 구획 림프절과 크기는 더 작고 악성 소견은 모호한 측경부 림프절이 확인되었다면 측경부 박리 여부 결정을 위해 측경부 림프절에 대한 조직검사가 더 중요할 수 있다. 또한 이런 경우에는 하나 이상의 림프절을 검사해야 하는 경우도 있다. 따라서 각각의 검체에 대한 라벨 표기를 통해 잘 구분하는 것도 중요하다.

검사할 병변을 정했다면 병변의 어떤 부분을 채취할 것인가도 중요하다. 낭성(cystic) 부분이나 괴사성(necrotic) 부분에서 채취하는 일은 피하는 것이 좋다. 또한 CT나 MRI 영상에서 조영증강 되거나 도플러에서 높은 혈관 분포도를 보이는 부분에서 검체를 채취할 때 의미있는 병리 조직을 얻을 수 있다. HPV 양성 두경부 편평상피세포암 환자의 전이성 림프절은 BCC (brachial cleft cyst)와 감별을 요하는 낭성 종양의 형태로 알려져있다.[7] 이런 경우 종양의 벽이나 고형(solidic) 성분에서 조직검사를 하는 것이 권유되고 있다. HPV typing과 같은 flow cytometry DNA analysis같은 실험실적 검사를 위해 적절한 조직의 채취가 필수적이기 때문이다.

3) 시술 방법

환자는 바로 누운 자세(supine)에서 검사하고자 하는 방향의 반대방향으로 고개를 돌리고 검사를 시행 받게 된다. 베개는 어깨 아래에 받쳐서 목이 신전 상태를 유지하는 것이 좋다. 검사자는 검사가 용이하도록 환자의 자세를 조정할 수 있으며 초음파 모니터도 잘 보이는 곳으로 위치 조정을 해야 한다. 초음파 젤을 이용하여 적절한 모니터 해상도를 얻을 수 있으나 젤 대신에 검사 전 소독을 위해 사용하는 포비돈(povidone-iodine) 소독제로 그 역할을 대체할 수도 있다.[8]

FNA를 할 때 초음파를 보는 가장 중요한 역할은 초음파 탐촉자의 가운데 시상면(azimuthal plane)이다. 탐촉자는 이 면에서 큰 진동수의 초음파 파장을 보내고 받는다. 이 면을 통해 검사자는 바늘의 이동경로를 초음파 이미지를 통해 시각화하고 바늘의 주행 방향을 조정할 수 있게 된다. 이 면과 검사 시 주입되는 바늘의 각도에 따라 수평법(parallel approach)과 수직법(perpendicular approach)이 있다.

(1) 수평법(Parallel approach)

수평법은 초음파 탐촉자의 가운데 시상면을 따라서 그 바로 밑에 바늘을 삽입시켜서 목표 병변에 도달하는 방법을 말한다. 이때 초음파 화면에서는 검사할 병변이 모니터 화면의 측면부 가장자리에 가깝게 위치시켜 바늘이 들어가는 지점과 가깝게 하는 것이 좋다. 바늘 베벨(bevel) 면이 위로 향한 상태에서 주입하여야 초음파 상에서 잘 반사되어 끝부분이 밝게 관찰되게 된다. 바늘이 피부를 뚫고 들어가기 시작하면 초음파 화면상에 우측 혹은 좌측 코너에서 밝은 바늘 끝을 확인할 수 있게 된다. 바늘을 병변을 향하여 주행시킬 때는 탐촉자의 가운데 시상면에서 벗어나지 않게 잘 따라가야 바늘 끝을 놓치지 않고 끝까지 병변을 향해 접근시킬 수 있다. 이 방법은 검사자로 하여금 바늘의 전체 모습을 관찰하고 바늘 전체의 주행과 현재 위치를 파악할 수 있는 장점이 있다(그림 7-1). 만약에 바늘의 주행 경로가 약간의 각도라도 이탈하게 되면 초음파 화면에서 바늘의 끝을 확인할 수 없게 된다. 이는 검사자의 연습과 경험이 밑바탕이 되어야 한다. CNB나 RFA를 할때는 수평법을 이용해서만 시행할 수 있다.

(2) 수직법(Perpendicular approach)

수직법은 수평법과 다르게 초음파 화면상에서 병변을 정중앙에 위치시킨 상태에서 진행된다. 이때 바늘의 끝과 검사하고자 하는 병변 모두 탐촉자의 정중앙에 놓이게 되고 이는 azimuthal plane과 90도 각도를 이루게 된다. 검사를 시행하는 동안 바늘의 끝만 보이고 전체 모습을 볼 수는 없기 때문에 검사자의 경험과 스킬이 중요하다(그림 7-1). 이때도 동일하게 바늘의 바벨면은 위로 향하게 해야 확인이 가능하다. 수직법으로 FNA를 시행할 때는 병변의 깊이에 대한 이해가 있어야 한다. 사실 바늘의 베벨이 azimuthal plane을 이미 가로지른 상태일 때 초음파상에 그 바늘 끝이 밝게 나타나는 것이기 때문에 바늘의 위치는 실제로 병변 안에 있을 수도 있지만 병변의 위쪽이나 아래쪽으로 벗어나 있을 수도 있다는 것을 이해해야 한다. 바늘의 각도가 가파를 경우(거의 수직으로 꽂을 때) 바늘의 끝은 생각보다 병변의 아래에 있는 경우가 있으며, 반대로 바늘의 각도가 완만할 때는 바늘의 끝이 생각보다 병변의 위쪽에 위치하기도 한다. 수평법과 수직법 모두 반복된 연습과 경험이 쌓여야 적절한 위치와 각도를 이용하여 정확한 검사를 시행할 수 있게 된다.

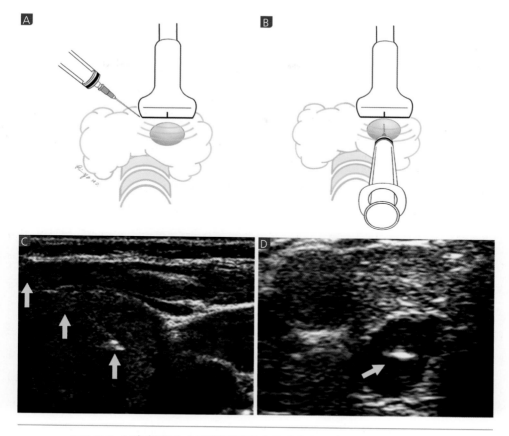

그림 7-1. 수평법(좌)과 수직법(우)에서 초음파에서 보이는 바늘 모습(화살표)

2

세침흡인
(Fine Needle Aspiration, FNA)

FNA는 간단하면서도 최소 침습적인 방법으로 조직을 채취할 수 있는 검사이다. 이전 연구들에 따르면 초음파 유도 세침흡인 검사가 초음파를 이용하지 않은 세침흡인 검사에 비하여 우수하다는 보고가 있었다.[1] 또한 FNA는 두경부 편평상피세포암 환자들에게서 경부의 전이성 림프절을 진단하는데 89-98%의 감수성과 95%-98%의 특이도를 가진다고 알려져 있다.[1,3] 보통 위음성과 위양성의 결과를 보이는 경우는 이전에 방사선 조사력이 있는 림프절의 경우와 괴사성 림프절의 경우이다.[1] 또한 분화성 갑상선암(differentiated thyroid cancer)에서 전이성 림프절을 진단하는데 있어서는 5-10%의 실패율과 6-8%의 위음성률을 보인다는 보고가 있다.[9] 바늘세척(Needle washout)에서 thyroglobulin의 측정은 이러한 FNA의 감수성을 높인다는 보고도 있다.[9,10] 하지만 악성 종양의 과거력이 없는 환자에게서 경부 림프절의 비정상적인 소견을 FNA만으로 진단 내리는 데는 제한점이 있을 수밖에 없다.

1) 시술 도구

FNA를 할 때는 보통 23-27게이지 바늘을 이용하며, 갑상선의 경우 25-27게이지 바늘을 이용한다. 더 큰 게이지의 바늘은 이론적으로 출혈의 위험성이 더 높다. 또한 바늘 삽입 부위의 감염이나 갑상선, 기관, 식도, 경동맥, 경정맥, 반회후두신경과 같은 주변 주요 구조물로의 손상을 초래할 수도 있다.[5] 그리고 큰 바늘을 사용하는 것이 악성 병변과 양성 병변을 구분하는데 더 도움을 주지는 않는다. 바늘에는 보통 2-10 cc의 주사기를 연결하는데, 이는 음압을 가하는 흡인 방법으로 검체를 얻을 때 사용하기 위함이다. 그 밖에 검체를 도말할 수 있는 슬라이드가 준비되어야 한다.

2) 시술 방법

FNA를 시행할때 검체를 얻는 방법에는 음압을 가하는 흡인 방법과 음압을 가하지 않는 비흡인 방법으로 크게 나누어진다. 흡인 방법은 바늘에 달린 주사기를 당겨 음압을 가하여 검체를 획득하는 방법이다. 주사기를 적정 압력 당긴 상태에서 바늘을 앞뒤로 반복적으로 움직이면 바늘 허브(needle hub)에 흡인된 검체가 모이는 것을 확인할 수 있다. 충분한 양이 모이면 주사기 음압을 먼저 풀고 바늘을 제거해야 한다.

비흡인 방법은 주사기로 흡인하는 것은 생략하고 바늘을 병변 내에서 앞뒤로 반복적으로 움직여 검체를 얻는 모세관법을 이용하는 방법(Zaidela technique)이다. 이 두 가지 방법 모두 바늘을 앞뒤로 움직이는 전과정을 초음파 영상을 통해 확인할 수 있어야 한다. 보통 바늘의 움직임은 6-7회 정도, 5-10초 이상 시행되는 것이 적절한 양의 검체를 모으는데 적합하며, 음압을 적용할 경우에는 주사기 2-3 cc 정도가 적절하다. 또한 같은 병변에 대하여 최소 2번의 검사를 시행하는 것이 추천된다. 비록 흡인 방법이 더 많은 양의 검체를 획득할 수 있음에도 불구하고, 이론적으로 보면 이 방법은 음압 자체 때문에 조직에 손상을 주고 검체에 말초혈액이 섞일 수 있어 진단률을 떨어뜨릴 가능성이 있다.[11] 하지만 이전 조사연구와 메타 분석에 따르면 갑상선 결절에서 흡인 방법과 모세혈관 방법 간에 진단적으로 의미 있는 차이를 보이진 않았다고 보고된 바 있다.[12,13]

그 밖에 바늘의 주행경로를 통한 종양 세포들의 파종(seeding) 문제에 대해 우려할 수 있는데, 앞서 말한 크기 정도의 바늘을 이용하여 검사를 한다면 파종의 정도는 0.003-0.009%로 알려져 있다. 또한 악성 종양 환자들에게서 FNA를 시행하지 않은 환자와 시행한 환자 간에 생존율에 유의미한 차이는 보이지 않는 것으로 연구된 바 있다.[14]

3

중심부바늘생검
(Core Needle Biopsy, CNB)

CNB는 FNA에 비해 많은 양의 조직을 얻을 수 있어 더 우수한 진단율을 보이는 검사지만 조금 더 침습적인 검사법이다. 이는 두경부암의 과거력이 없는 환자에게서 림프절에 대한 평가나 악성 림프종이 의심되는 경우에 FNA보다 진단률이 더 우수하다고 알려져 있다. 특히 악성 종양이 의심되지 않는 경부 림프절병증 환자들에서 FNA은 정확한 진단을 내리는 경우가 22%였던데 반해 CNB는 91%였다는 연구 결과가 있었다. 또한 악성도를 판별하는 경우 감수성은 92%, 특이도는 100%였다.[15] 이처럼 CNB는 림프절 질환이나 FNA로 비진단적 결과 혹은 검체가 불충분했던 경우들에서 고려할 수 있는 검사 방법이다.

CNB 결과만으로 수술을 진행할지 결정했을 때 결과에 대해서는 많은 보고들이 있다. 한 메타분석에 따르면 1267명 중 696명(54%)는 불필요한 수술을 피했다고 하며, 이 환자들은 비신생물성 종양(50%), 악성림프종(14%), 전신 전이(9%), 양성 종양(10%)의 경우였다.

1) 시술 도구

CNB는 스프링 힘을 이용한 바늘로 구성된 장치(gun)를 이용한다. 바늘은 속침(stylet)과 절단삽입관(cutting cannula)로 이루어져 있으며 그 크기는 어떤 해부학적 구조물을 검사하는지에 따라 다르게 결정해야 한다. 타액선 종양을 검사 시에는 보통 20게이지 바늘을 사용하는 것이 적합하며 그 밖에 갑상선과 림프절의 경우 16-18게이지 바늘이 추천된다. 특히 악성 림프종의 진단을 위한 CNB를 할 때는 면역화학염색분석을 위해 충분한 양의 조직이 필요하다. 따라서 최소한 16게이지 바늘을 이용하여 이질적인(heterogenous) 림프절 조직에서 진단에 필요한 부분을 놓치지 않고 충분한 조직을 획득하는 것이 좋다. 그 밖에 검체를 바로 담아서 고정할 10% 포르말린 용액이 필요하다.

2) 시술 방법

안전한 조직검사를 위해서는 그 접근 경로만 잘 확보된다면 부작용의 위험을 최소화 할 수 있다. 즉 조직검사 할 부위 주변의 신경 및 혈관 구조물들을 잘 파악하여 검사 경로를 안전한지 확인해야 한다. 컬러 도플러는 이를 확실히 하는데 아주 큰 도움이 되며 검사를 하면서 공간이 안전하게 확보되고 있는지 확인하기 위해 사용하는 것이 좋다.

시술 전 피부를 소독하고 1% 리도카인을 이용하여 국소 마취를 시행한다. 생검 바늘을 삽입하기 전에 11번 메스를 이용하여 작은 피부 절개를 가하는 것이 바늘을 진입시키는데 도움이 된다. 생검 바늘의 속침을 먼저 검사하고자 하는 병변으로 진입시키며 속침은 3 mm 정도 끝이 날카로운 경사면으로 이루어져 있기 때문에 초음파로 확인이 가능하다. 이때 반드시 적절한 깊이로 넣어 다른 구조물을 손상시키지 않도록 주의해야한다. 그 다음 절단삽입관을 먼저 넣은 속침에 위치시키면 검체를 얻을 수 있다. 이러한 방법은 조직의 손상을 최소화 하면서 예상된 경로를 통해서 검사를 수행하는데 용이하다. 생검 바늘을 멸균상태로 유지하면 하나의 장치로 한 환자에서 여러 번 검체를 획득하는 것이 가능하다. 보통 같은 병변에 2-3번 정도 검사를 반복한다.

CNB를 할 수 있는 조직의 크기는 위치에 따라 달라지며 검사자의 실력에 의해서도 좌우된다. 보통 10 mm 정도까지 검체 획득이 가능하다. 획득한 검체는 10% 포르말린에 고정하여 즉시 병리과로 보내져야 한다.

FNA와 CNB의 비교

CNB는 악성의 유무를 감별할 때 FNA보다 높은 특이도와 정확도, 위음성률을 보인다고 알려져 있다.[19] 그러나 이전 연구들에 따르면 감수성이나 위양성률의 경우는 CNB와 FNA 사이에 유의미한 차이를 보이지는 않았다. 단, 악성 림프종을 진단하는데 CNB가 FNA에 비해서 더 높은 감수성을 보인 반면 편평상피세포암, 선암, 타액선암종, 갑상선암종, 미분화 암종과 같은 악성 종양을 진단하는데 있어서는 그 차이가 통계학적으로는 유의미하지 않았다.[19]

한 메타분석에 의하면 CNB를 이용하여 악성 림프종을 진단하는 것이 정확도가 97%에 달했다고 한다. 그러나 CNB는 갑상선의 종양을 진단하기에 감수성은 68%, 특이도는 67%로 비교적 낮다고 보고된 바 있다. 또한 FNA와 마찬가지로 follicular carcinoma와 adenoma의 구분이 이 검사만으로는 어렵다. 따라서 갑상선 질환에서 2번 이상 FNA로 진단이 안되었을 경우에는 CNB를 하기 보다는 절제 생검을 하는 것이 추천되고 있다.

● 표 7-1. 미세세침흡인검사와 중심바늘생검의 비교

	미세세침흡인검사	중심바늘생검
바늘 종류	thin hollow needle	larger needle
게이지	20-27게이지	14-20게이지
현장 검체 상태	흡인 도말	접촉 표본
최종 검체 상태	흡인 도말, 액상 표본, 포르말린 세포 고정	접촉 표본, 포르말린 조직 고정
마취 여부	필요에 따라 시행	시행
비용	비교적 경제적	비교적 고가
장점	안전하고 적은 출혈량	많은 양의 검체, 조직의 상태로 평가 가능
단점	적은 검체량, 조직 구조적 파악은 불충분	비교적 높은 출혈 경향이나 부작용

5

부작용

초음파를 이용한 FNA와 CNB는 안전한 시술로 큰 합병증이 많지는 않지만 공통적으로 출혈, 감염, 마비(paresis or palsy), 감각이상(paresthesia), 혈관미주신경성(vasovagal) 증상 등의 합병증을 유발할 수 있다. 특히 CNB를 시행할 때 좀 더 발생할 확률이 높다. 가장 합병증은 출혈이나 소량이며 보통은 자체적으로 지혈이 가능하다. 한 연구에서는 갑상선 결절 FNA 후의 혈종 발생의 경우는 1% 미만이라고 보고했다.[16] 지혈 장애가 있는 환자들의 경우에서도 출혈은 국소 압박 정도의 처치만으로도 지혈되었다고 보고하고 있다. 하지만 pheochomocytoma, carotid body tumor, 고혈관성 종양과 같은 경우 검사를 시행할 때 출혈의 위험이 커지기 때문에 주의를 요한다.

신경 부전으로 이한 운동 마비, 감각 이상은 대부분 일시적이었으며 보통 마취제의 영향이거나 화학적 신경염인 경우였다.[17] 따라서 안면신경이나 반회후두신경과 같은 주요 신경 구조물과 인접한 구조물을 검사할 때는 특히 더 주의해야 하며 너무 깊이 많은 양의 마취제를 사용하는 것은 삼가야 한다. 영구적인 신경 손상은 아주 드물지만 보고된 바 있는데 후삼각 부위 림프절을 CNB 했을때 accessory nerve가 손상된 경우였다.[18] 환자가 갑자기 어지러워 하고 손이 차가워지는 혈관미주신경성 증상은 심재성 림프절을 검사하는 경우였으며 이에 대해서는 많은 연구가 보고된 바는 없지만 검사 시 발생하는 통증이나 일시적인 미주신경염 등이 그 원인일 것으로 알려져 있다.

CNB에서 가장 우려되는 것은 출혈의 위험성이다. 생검 바늘의 빠른 속도 때문에 주변 혈관이나 신경의 손상이 가능하기 때문이다. 그러나 대규모 후향적 연구에 따르면 15,000건의 초음파 유도 CNB에서 대량 출혈의 발생은 0.5% 정도였고, 그중 3명이 사망했다는 보고가 있었다. 그리고 한 메타분석 연구에 의하면 대량출혈이나 사망 사례 없이 약 1%에서 소량 출혈이 있었다는 보고가 있었다. 비록 CNB는 아스피린 복용 환자들에게서도 수행되고 있긴 하지만 정상 혈액응고 능력을 지닌 경우에 하는 것을 많은 저자들은 선호하고 있다. 그 기준은 보통 혈청 혈소판 수치 50×10^9 이상, INR 1.6미만이다.

6

한계점

비록 FNA와 CNB를 할 수 있는 병변의 크기가 정해져 있다고 하지는 않지만 너무 작은 크기의 병변에 검사를 시행하는 것은 기술적으로 쉽지 않다. 또한 위치나 깊이도 중요하기 때문에 후인두 림프절 같은 경우는 검사가 거의 불가능하다. 그 밖에 불충분한 검체량으로 인한 위음성률 또한 검사의 한계점이라고 할 수 있겠다.

Key Points

- Patient's history and working diagnosis affect the approach and type of biopsy (fine vs core needle biopsy).
- Fine-needle biopsy provides reasonable diagnostic yield for staging or restaging biopsy in patients with SCCHN and in patients with thyroid cancer.
- In patients without a history of malignancy and without suspicion for SCCHN, the diagnostic yield of fine-needle biopsy is low and core needle biopsy should be performed instead when possible.
- If a safe biopsy path is chosen, core needle biopsy of cervical lymph nodes can be safely performed with minimum risk of complications.
- Ultrasound is the preferred modality for performing image-guided procedures in the head and neck, allowing real-time visualization of small vessels and adjustment of the biopsy path, optimizing safety, patient comfort, and efficiency.

참고문헌

1. Baatenburg de Jong RJ, Rongen RJ, Verwoerd CD, et al: Ultrasound- guided fine-needle aspiration biopsy of neck nodes. Arch Otolaryngol Head Neck Surg 117(4):402-404, 1991

2. Robinson IA, Cozens NJ: Does a joint ultrasound guided cytology clinic optimize the cytological evalua-

tion of head andneck masses? Clin Radiol 54(5):312-316, 1999

3. Knappe M, Louw M, Gregor RT: Ultrasonography-guided fine-needle aspiration for the assessment of cervical metastases. Arch Otolaryngol Head Neck Surg 126(9):1091-1096, 2000

4. Fleischman GM, Thorp BD, Difurio M, et al: Accuracy of ultrasonography-guided fine-needle aspiration in detecting persistent nodal disease after chemoradiotherapy. JAMA Otolaryngol Head Neck Surg 142(4):377-382, 2016

5. Polyzos SA, Anastasilakis AD: Clinical complications following thyroid fine-needle biopsy: A systematic review. Clin Endocrinol 71(2):157-165, 2009

6. Patel IJ, Davidson JC, Nikolic B, et al: Consensus guidelines for periprocedural management of coagulation status andhemostasis risk in percutaneous image-guided interventions. J Vasc Interv Radiol 23(6): 727-736, 2012

7. Pietarinen-Runtti P, Apajalahti S, Robinson S, et al: Cystic neck lesions: Clinical, radiological and differential diagnostic considerations. Acta Otolaryngol 130(2):300-304, 2010

8. Rausch P, Nowels K, Jeffrey Jr. RB: Ultrasonographically guided thyroid biopsy: A review with emphasis on technique. J Ultrasound Med 20(1): 79-85, 2001

9. Frasoldati A, Valcavi R: Challenges in neck ultrasonography: Lymphadenopathy and parathyroid glands. Endocr Pract 10(3):261-268, 2004

10. Grani G, Fumarola A: Thyroglobulininlymphnodefine-needleaspiration washout: A systematic review and meta-analysis of diagnostic accuracy. J Clin Endocrinol Metab 99(6):1970-1982, 2014

11. Romitelli F, Di Stasio E, Santoro C, et al: A comparative study of fine needle aspiration and fine needle non-aspiration biopsy on suspected thyroid nodules. Endocr Pathol 20(2):108-113, 2009

12. Pothier DD, Narula AA: Should we apply suction during fine needle cytology of thyroid lesions? A systematic review and meta-analysis. Ann R Coll Surg Engl 88(7):643-645, 2006

13. Tublin ME, Martin JA, Rollin LJ, et al: Ultrasound-guided fine-needle aspiration versus fine-needle capillary sampling biopsy of thyroid nodules: Does technique matter? J Ultrasound Med 26(12):1697-1701, 2007

14. Shah KS, Ethunandan M: Tumourseedingafterfine-needleaspirationand core biopsy of the head and neck—a systematic review. Br J Oral Maxillofac Surg 54(3):260-265, 2016

15. Oh KH, Woo JS, Cho JG, et al: Efficacyofultrasound-guidedcoreneedle gun biopsy in diagnosing cervical lymphadenopathy. Eur Ann Otorhi- nolaryngol Head Neck Dis 133(6):401-404, 2016

16. Kavanagh J, McVeigh N, McCarthy E, et al: Ultrasound-guidedfineneedle aspiration of thyroid nodules: Factors affecting diagnostic outcomes and confoundingvariables. ActaRadiol58(3):301-306,2017

17. Musharrafieh UM, Nasrallah MP, Sawaya RA, et al: Chemicalneuritisafter fine needle aspiration biopsy of thyroid nodule. J Endocrinolog Investigat 29(10):947-948, 2006

18. attista AF: Complicationsofbiopsyofthecervicallymphnode. Surg Gynecol Obstet 173(2):142-146, 1991

19. Novoa E, Gurtler N, Arnoux A, Kraft M. Role of ultrasound-guided core- needle biopsy in the assessment of head and neck lesions: a meta- analysis and systematic review of the literature. Head Neck 2012;34: 1497‒1503.

SECTION

8

초음파 유도 시술

조우진 (그림 김용범)

1

초음파유도하 중재시술
(Ultrasonography-Guided Interventional Procedure)

두경부 양성 병변의 부피가 커서 유발되는 증상을 완화, 호전시키는 목적으로 시행하는 중재시술은, 병변을 적출하여 제거하는 수술적 치료에 준하는 치료 효과를 얻으면서 두경부 장기를 보존하는 치료 방식이다. 주로 국소마취로 시행되며, 피부 절개가 필요하지 않아 미용적인 효과를 얻는 데에 장점이 있으나, 병변이 완전히 제거가 되는 것이 아니므로, 반복 시술이 필요할 수 있고, 의사의 초음파유도하 관련 시술 숙련도에 따라 치료 결과의 편차가 발생하는 등의 한계도 있다. 무엇보다, 병변의 크기를 줄여주는 효과가 주 목적이므로, 해당 병변이 악성 종양과 같이 수술로 적출을 해야 하는 상태인지를 치료 전에 면밀히 평가해야 한다. 또한 환자에게도 수술과 중재시술의 차이점과 장단점을 충분하게 이해시킨 뒤에 치료 계획을 수립하는 것도 필요하다. 이비인후과 전문의, 두경부외과 의사는 다양한 두경부 질환의 수술적 치료 경험이 풍부하므로, 환자에게 수술, 중재적 치료에 대한 치료 의견을 다른 임상과 의사보다 균형적으로 제시할 수 있어, 다양한 임상적 상황에서 적절하게 활용하면 환자와 의사 모두에게 도움이 될 수 있다.

2

낭종흡인요법
(Aspiration Therapy)

두경부의 각종 장기에 낭성 종괴가 있는 경우, 낭성 내용물의 부피 증가로 인해 발생하는 증상을 완화하기 위해 시행한다. 병변의 크기, 내용물의 성상, 출혈경향 등을 고려해 병변내 삽입하는 바늘의 굵기를 14G부터 25G까지 다양하게 선택한다. 필요에 따라 바늘의 삽입 부위에 국소마취를 시행한다. 부피가 큰 병변은 반복적인 흡인이 필요할 수 있어, 대용량 주사기를 사용하거나 3-way 커넥터를 이용하면 불필요하게 반복적으로 주사침을 체내와 병변에 삽입하는 것을 줄일 수 있다. 국소마취는 반드시 필요한 것은 아니나, 삽입하는 바늘의 굵기와 환자의 성향, 특히 병변 내용물의 점성이 높을 것으로 예상되는 경우 더 굵은 바늘을 다시 삽입할 수 있으므로 국소마취를 고려할 수 있다.

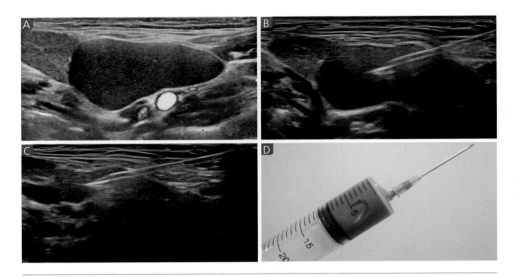

그림 8-1. 2형 새열낭종 낭종흡인요법
A: 좌측 경부 level II에 위치한 2형 새열낭종. 좌측 악하선의 lateral portion, 좌측 흉쇄유돌근의 medial portion, 경동맥분지의 anterior portion에 위치하고 있다. B: 낭종 내부에 18G 주사침을 삽입하였다. C: 주사침의 전장을 초음파로 모니터링하면서 낭종의 부피가 최대한 작아지도록 흡인하여, 종괴로 인한 증상을 호전시킨다. D: 흡인액의 성상은 점성이 높고 진흙 같은 양상을 보인다.

3

낭종경화술
(Sclerotherapy)

낭종흡인요법을 시행하여 관련된 불편함이 호전되는지 여부를 평가한 뒤에, 증상이 재발하거나, 반복적인 낭성 내용물의 흡인에도 치료반응이 없는 낭성 종괴에 대해 시행한다.[1] 에탄올, OK-432 (Picibanil) 등의 약제가 널리 활용된다.[2] 약제의 특성에 따라, 주입한 약물을 그대로 놔두기도 하고, 일정시간의 경화시간 뒤에, 주입한 약물을 모두 흡인하여 제거하는 방식을 사용하기도 한다. 단백질 변성으로 낭종 벽 내부의 세포변화를 유발하는 에탄올의 경우는 문헌에 따라 두 방식이 모두 사용되기도 한다. OK-432는 약제로 인한 낭종 내의 염증성 변화를 유발하는 것이 목적이므로, 약제를 주입한 채 시술을 마친다. 갑상선 낭종, 림프관종에서 유용성이 입증되어 있으며, 기타 두경부 낭종에도 임상적인 상황을 고려해 시행할 수 있다.

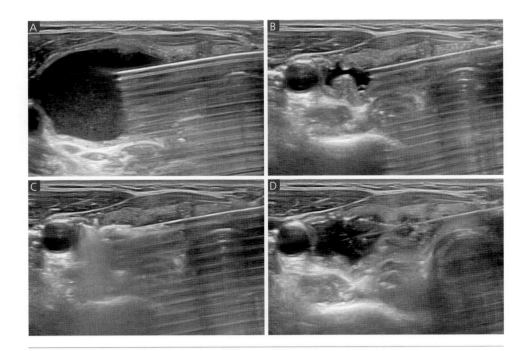

그림 8-2. 갑상선낭종 경화술

A: 갑상선 협부를 통해 17G 주사침을 낭종 내부에 삽입한다(trans-isthmic approach). B: 낭성 내용물을 최대한 흡인하고, 주사침은 낭종 내부에 그대로 유지한다. C: 무수알코올(99.5%)을 낭종 내부에 주입한다. D: 낭종의 내벽이 고에코로 변화하고 치료 전에 비해 부종으로 두꺼워진 상태를 확인할 수 있다. 경화술 후에 술자의 치료 선호도에 따라 알코올을 그대로 놔둘 수도 있고, 완전히 제거할 수도 있다.

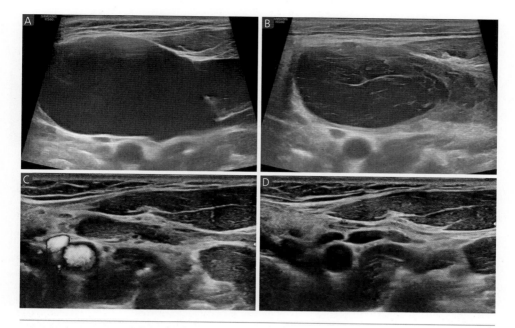

그림 8-3. 림프관종 경화술 치료 경과

A: 반복적인 흡인치료에 반응이 없는, 좌측 경부 level III에 위치한 림프관종. B: OK-432 (Pici-banil)를 이용해 경화술을 시행한 뒤 1주 경과한 상태. 낭종 내부에 출혈과 삼출액으로 인한 복합적인 에코의 연조직이 관찰되며, 낭종벽과 주변 연부조직의 부종이 있다. C: 치료 후 3달 경과한 상태. 낭종 내부의 낭성 부분이 상당 부분 흡수되어 부피가 확연하게 감소된 상태. D: 치료 후 6달 경과한 상태. 낭종은 완전히 수축되어 흔적만 관찰된다.

4 열치료술
(Thermal Ablation)

고주파(radiofrequency), 레이저, 극초단파(microwave), 고강도집속초음파(high intensity focused ultrasound, HIFU) 등의 열에너지를 이용해 종양에 비가역적인 세포괴사를 유발하여, 종괴의 큰 부피를 감소시켜 관련된 증상을 호전시키는 치료법이다.[3] 특히, 국내에선 증상이 있는 갑상선 양성 결절에 대한 고주파열치료술이 널리 활용되고 있으며, 수술이 용이하지 않은 재발성 갑상선암에도 시행되는 등 치료 적응증이 점차 확대되고 있다.

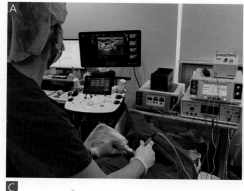
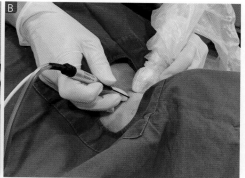
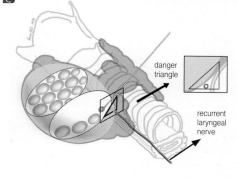
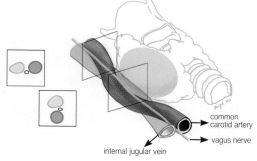

그림 8-4. 갑상선고주파열치료술의 수술 자세와 기본 술기

A: 실시간으로 초음파를 보면서, 환자의 음성과 통증에 대한 반응 등을 모니터링하여 조기에 합병증 유무를 발견하고 대처하기 위해 국소마취로 치료를 시행하는 것이 일반적으로 권장된다.

B: Trans-isthmic approach. 전극의 전장을 초음파로 확인할 수 있으며, 전극 끝이 반회신경이 위치한 기관식도구(tracheoesophageal groove)와 멀리 위치하게 되어 치료 중 반회신경의 손상을 최소화하는 데에 도움이 된다. 또한, 수술 도중 환자가 연하 시에도 전극이 안정적으로 갑상선 내부에 위치할 수 있게 도와주기도 하고, 치료 시 발생한 고주파열이 갑상선 결절을 둘러싼 실질이 장벽 역할을 해주어, 갑상선 바깥으로 새어 나오는 것을 줄여준다.

C: 술자(surgeon)의 시점으로 바라본 우측 갑상선 결절의 치료 모식도. 결절 내부를 3차원적으로 가상의 유닛(unit)으로 나누어, 결절 상부에서부터 하부까지 (또는 역순) 차례대로 치료를 한다. 갑상선의 내측피막(lateral border), 기관식도구(medial border), 식도 또는 척추앞연부조직(posterior border)으로 이루어진 danger triangle에는 반회후두신경이 위치하므로, 이 위치에 가깝게 있는 유닛을 치료할 때는 각별한 주의가 필요하다. 마찬가지로 갑상선 외측과 후방에도 vagus nerve, sympathetic ganglion 등의 구조물이 큰 갑상선 결절로 인해 정상적인 해부학적 위치에서 벗어나 있을 수 있어, 이러한 구조물에 인접한 유닛을 치료하기 전 초음파로 세밀한 확인이 필요하다.

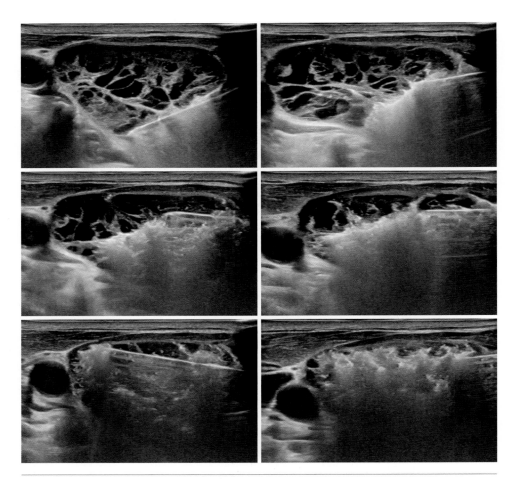

그림 8-5. 갑상선고주파열치료술의 초음파 영상

치료 중에는 갑상선 협부를 통해 삽입된 전극(trans-isthmic approach)의 전장, 특히 고주파열이 발생되는 전극의 끝부분이 잘 보이도록 하는 것이 중요하다. 고주파열로 인해 치료된 병변 부위가 고에코로 변화하여 더 깊은 부위 초음파 시야를 확보하기 어려워지므로, 피부에서 가장 깊은 부위에서부터 치료를 시작한다. 전극을 움직이면서 결절 내부를 최대한 소작한다(moving shot technique).

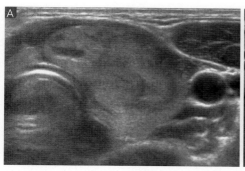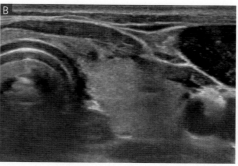

그림 8-6. 갑상선고주파열치료술 치료 경과

A: 흡인세포병리검사와 총생검을 통해 양성결절로 확인된 결절이며, 병변의 위치가 para-isth-mus인 관계로 외관상 불편한 증상을 유발하여 고주파열치료술의 적응증에 해당된다. B: 치료 후 38개월 경과된 상태. 병변이 저에코 반흔으로 관찰되며, 결절과 관련된 증상(nodule-related symptom)이 호전되어 유지되고 있다.

Tips & Pearls

Basic
- 초음파유도하 시술을 하는 동안에는 병변내 삽입된 바늘의 전장을 실시간으로 지속적으로 모니터링하여 의도하지 않은 시술 관련 합병증을 최소화해야 한다.
- 갑상선 낭종 경화술은 낭종 내부의 고형성분의 비율이 높은 경우 효과가 떨어지며, 이 경우 반복적인 치료 또는 고주파열치료술과 같은 치료법을 병행하여 시행할 수 있다.

Advanced
- 고주파열치료술의 가장 중요하고 흔한 합병증은 반회후두신경의 열 손상으로 인한 음성 변화이다. 신경과 인접한 부위의 치료 시에 각별히 주의가 필요하다.

참고문헌

1. Cho W, Sim JS, Jung SL. Ultrasound-guided ethanol ablation for cystic thyroid nodules: effectiveness of small amounts of ethanol in a single session. Ultrasonography 2021;40:417-27.

2. Kim JH. Ultrasound-guided sclerotherapy for benign non-thyroid cystic mass in the neck. Ultrasonography 2014;33:83-90.

3. Lang BHH, Cho W. Nonoperative thyroid ablation techniques for benign thyroid nodules. In: Singer MC, Terris DJ. Innovations in modern endocrine surgery. Springer; 2021.

찾아보기

국문 찾아보기

영문 찾아보기

Head And Neck Ultrasound

두경부 초음파

갑상선-타액선-경부 초음파 및 중재시술

첫째판 1 쇄 인쇄 | 2023년 4월 10일
첫째판 1 쇄 발행 | 2023년 4월 21일

지 은 이 대한두경부외과학회
발 행 인 장주연
출 판 기 획 이성재
책 임 편 집 배진수
편집디자인 조원배
표지디자인 김재욱
제 작 담 당 이순호
발 행 처 군자출판사(주)
　　　　　등록 제4-139호(1991. 6. 24)
　　　　　본사 (10881) **파주출판단지** 경기도 파주시 회동길 338(서패동 474-1)
　　　　　전화 (031) 943-1888　　　팩스 (031) 955-9545
　　　　　홈페이지 | www.koonja.co.kr

ISBN 979-11-5955-974-7

정가 100,000원